El jardín
japonés

Günter Nitschke

El jardín japonés

El ángulo recto y la forma natural

TASCHEN

KÖLN LONDON LOS ANGELES MADRID PARIS TOKYO

Portada:
Vista de la cascada y el jardín con lago
del Sambo-in desde el Junjokan
Foto: Günter Nitschke
Ver pág. 125

Contraportada:
El jardín de Konchi-in
Foto: Günter Nitschke
Ver pág. 143

© 2003 TASCHEN GmbH
Hohenzollernring 53, D–50672 Köln
www.taschen.com

Edición original: © 1994 Benedikt Taschen Verlag GmbH
Diseño: Detlev Schaper, Michael Ditter, Colonia
Composición de la portada: Angelika Taschen, Catinka Keul, Colonia
Traducción del alemán: Carmen Sánchez Rodríguez, Freiburg

Printed in Italy
ISBN 3–8228–2033–4

Indice general

9   **Prólogo**

10   **El sentido japonés de la belleza:**
El culto a lo inimitable de la naturaleza y a la forma
perfeccionada por el hombre

14   **Arquetipos del jardín japonés:**
El país – el sintoísmo – la cosmología hindú –
los mitos taoístas – el budismo y las composiciones triádicas

27   **El jardín japonés en la historia:**
Del prototipo al tipo y al estereotipo

28   **Islas y lagos sagrados**
El jardín de recreo

30   **Los jardines en el antiguo Japón**

32   **La época Heian**
La geomancia japonesa *sino* como una teoría holística del diseño
El jardín como parte de los palacios urbanos
El jardín del pabellón a las afueras de la ciudad
El jardín en los santuarios del budismo Amida

48   **La relación de la época Heian con la naturaleza y el arte
de la jardinería**
Genji Monogatari: La historia del príncipe Genji
El Sakutei-ki: El manual clásico de la jardinería

枯
山
水

64 **Rocas en la arena**
El jardín de la simplicidad

66 **La época Kamakura**
La segunda gran oleada de influencia china en el Japón

67 **La época Muromachi**
El paso a un nuevo prototipo de jardín
El nuevo prototipo de jardín de la época Muromachi:
kare-sansui, el jardín de paisaje seco

95 **La relación de la época Muromachi con la naturaleza
y el arte de la jardinería**
Cambios en cuanto al tema, el estilo arquitectónico y el autor
La importancia de los ideales estéticos de la época
Muromachi en la concepción del jardín: monomane –
yugen – yohaku no bi
Sansui Narabini Yakei-zu: una teoría ilustrada sobre las
formas del jardín

露
地

114 **Senda y destino**
El jardín del regreso

116 **La época Azuchi-Momoyama**
El nacimiento de la joka-machi, la «ciudad bajo la fortaleza»

117 **La época Edo temprana**
El neoconfucionismo: la tercera oleada –indirecta–
de influencia china en el Japón
Formas estereotipadas del jardín con lago de
la época Momoyama
Variaciones del kare-sansui o jardín seco de
la época Momoyama
La relación del kare-sansui con el o-karikomi
El nuevo prototipo de jardín de la época Momoyama:
roji, el rústico jardín del té

156 **La relación de la época Momoyama con la naturaleza
y el arte de la jardinería**
Los maestros del té y los «comisarios de obras públicas»
como autores del nuevo jardín
La arquitectura sukiya – un nuevo
marco para el jardín japonés
Los ideales estéticos de la época Momoyama
y su influencia en el arte de la jardinería
Shokoku chaniwa meiseki zue: un libro ilustrado sobre
famosos jardines del té del siglo XVII

名
所

168 **Paisajes famosos de la literatura
y la realidad**
El jardín como sustituto del viaje

170 **De la época Edo a la época Meiji**
Sistema político y relaciones sociales
El ascenso de una cultura burguesa urbana
Corrientes y contracorrientes intelectuales
Formas estereotipadas del jardín con lago de la época Edo
Formas estereotipadas del jardín de paisaje seco de la época Edo
Shakkei: el paisaje «prestado» en los jardines con lago
y los jardines de paisaje seco de la época Edo
El nuevo prototipo de jardín de la época Edo: el gran jardín de paseo
Los jardines retirados de los antiguos samurai que se dieron
a conocer como sabios, sacerdotes o maestros del té

203 **La relación de la época Edo con la naturaleza
y el arte de la jardinería**

彫
刻

206 **El cantero y la piedra trabajada**
El jardín como fruto de la imaginación

208 **De la época Meiji a la actualidad**
Occidentalización y tradicionalismo
El jardín de las épocas Meiji, Taisho y Showa
Formas estereotipadas del jardín con lago de la época Meiji
Formas estereotipadas del jardín de paisaje seco
a partir de la época Meiji
Formas estereotipadas del jardín del té de la época Meiji
El prototipo contemporáneo: jardines como fruto
de la imaginación

232 **La relación del mundo actual con la naturaleza
y el arte de la jardinería**

234 Notas

235 Bibliografía

236 Glosario

Prólogo

Este es el paraíso del loto,
este cuerpo es Buda.
Hakuin Zenshi: Canto de la iluminación

Fueron necesarias terribles catástrofes ecológicas para que Occidente recordara que la tierra está con vida y que tiene su propia conciencia. Incluso un materialista occidental se verá obligado a reconocer que las piedras, las plantas, los animales y el hombre forman parte de la naturaleza de este mundo, que constituyen una unidad imposible de romper. Pero nosotros, arraigados en Occidente y sus tradiciones, tenemos grandes dificultades para entender la idea oriental de que también las piedras poseen una conciencia. Y ello no se debe a que de hecho no tengan ninguna, sino a que *nosotros* somos incapaces de medirlo con métodos científicos. Como mucho podríamos transigir con la idea de que las plantas y los animales tienen una conciencia. Incluso hasta podríamos entender la expresión de que el universo «toma conciencia» cuando un hombre es consciente de sí mismo como habitante de la tierra, una tierra que a su vez forma parte del universo. Sin embargo nos resultara difícil cuando se habla de la conciencia «iluminada», es decir, una conciencia que es consciente de sí misma. El momento en el que la conciencia es consciente de su propia existencia representa para los místicos orientales el momento delicado en el que se abre una flor en el «jardín» del universo. Es el momento de una implosión cósmica, comparable tan sólo con el momento de la gran explosión cósmica que dio origen al universo.

Los iluminados creen que el paraíso del loto está en cualquier lugar. Los mortales, por el contrario, buscan su paraíso del loto en el jardín. La historia de la jardinería japonesa es también la historia de la búsqueda de un paraíso del loto; es decir, la historia del esfuerzo humano por alcanzar la existencia adecuada en y con la naturaleza. Este libro pretende documentar las fases históricas más importantes de esta búsqueda.

En el mundo occidental todavía no existen demasiados trabajos científicos sobre los jardines japoneses, pero en el propio Japón se ha escrito una enorme cantidad de libros científicos con respecto al tema. Cada mes aparecen dos o tres revistas nuevas y otros tantos libros sobre el jardín. Durante mis investigaciones para escribir este libro, recurrí continuamente al «Gran manual de la jardinería japonesa» en varios tomos, escrito por el famoso historiador y arquitecto de jardines Shigemori Mirei y su hijo Kanto. La mayoría de mis planos de los jardines japoneses son versiones simplificadas de los planos de la obra de Shigemori. Para mí ha sido una gran suerte haber tenido la oportunidad de encontrarme varias veces con Shigemori, por desgracia ya muerto, desde que en 1967 decidí escribir un libro sobre los jardines japoneses.

Además debo expresar mi agradecimiento a muchos otros por su gran apoyo en la realización de este proyecto: Benito Boari, que realizó los dibujos de las páginas 19–63, Jens Hvass, que llevó a cabo los grabados de las páginas 64–88 e Irina Detlefsen, que ha conseguido la mayoría de los dibujos restantes. Además quiero agradecer expresamente su colaboración a Ken Kawai, de la Universidad de Kioto, que se ha encargado de una gran parte de la correspondencia japonesa y las tareas de investigación en las bibliotecas. Irina Detlefsen y Ken Kawai me han facilitado además algunas de sus propias fotografías, documentos que atestiguan a su manera el profundo interés de ambos por el jardín japonés. También le estoy muy agradecido a Kojima Hiroshi, director de la «Imperial Household Agency» en Kioto, que me permitió fotografiar con tranquilidad el palacio Katsura y que, generosamente, me facilitó algunas fotografías del palacio imperial de Kioto.

El sentido japonés de la belleza:
El culto a lo inimitable de la naturaleza
y a la forma perfeccionada por el hombre

El jardín japonés no es tan sólo simple «naturaleza», *shizen*, por emplear la palabra japonesa que literalmente significa tanto como «ser que se ha creado a sí mismo». El jardín japonés ha sido desde siempre una naturaleza creada e ideada por el hombre. Se incluye en el campo de la arquitectura y en la mejor tradición japonesa es una síntesis de arte y naturaleza.

Desde el punto de vista histórico, la tradición del jardín japonés comienza con la aparición de los primeros núcleos urbanos y palacios. Su desarrollo es, en este sentido, similar al de la mayoría de las otras culturas. El jardín surge con el triunfo de la civilización como producto secundario de la abundancia material y del tiempo libre recién adquirido. A partir de este momento, el hombre separa determinadas formaciones naturales del contexto de la naturaleza y lo concibe como algo nuevo y distinto junto con la nueva forma artificial e inventada del muro. El muro hizo cambiar la percepción de la forma natural a través de sus ángulos rectos. Aquella parte de disposición rectangular se convirtió en el jardín o bien *paradeisos*, según el término griego, una palabra que originariamente significaba «parque» o «jardín zoológico» y que hasta la época cristiana no adoptó el significado de «paraíso». La palabra persa *pairi-daeza,* todavía más antigua, significa simplemente «cercado». En los jardines de la antigua Persia el ángulo recto se empleó incluso en sentido horizontal: el jardín se dividía en cuatro rectángulos iguales con la ayuda de canales artificiales. Según la ideología japonesa –tal como mostraremos después mediante distintas visiones budistas– tampoco era necesario «volver a la naturaleza» para alcanzar el «paraíso», sino que más bien se acudía a una naturaleza creada por el hombre, precisamente un jardín.

Algunos antiguos jardines chinos servían de cotos de caza cercados en el palacio imperial. Éstos jardines son menos arquitectónicos que los jardines construidos por la misma época en el Próximo Oriente, pero también están cercados por un muro. En ambos casos se trata de una naturaleza modelada y controlada, incluso los animales de los cotos estaban sometidos al control humano. La diferencia entre los jardines antiguos del Próximo y el Lejano Oriente no se puede expresar con la sencilla antítesis «natural-artificial». El concepto de la naturaleza no es más «natural» en uno que en otro. Se trata más bien de una diferencia en cuanto al tipo y el grado de artificialidad.

En las cinco grandes épocas del arte japonés reconocemos siempre variaciones de la simbiosis figurativa entre el ángulo recto y la forma natural. Walter Dodd Ramberg apuntaba en un destacado ensayo sobre el diseño japonés que en Japón hay que diferenciar dos tipos de percepción de la belleza: el japonés descubre y admira la belleza por un lado en la forma natural y casual y por otro en la forma perfecta creada por el hombre. En el sintoísmo, la religión por excelencia del Japón, se suele adorar aquello que es único en la naturaleza como el *go-shintai*, la morada de una divinidad. *Go-shintai* puede ser una roca con una forma extraña, un árbol curtido por el clima a lo largo de los siglos, una montaña escarpada de un modo insólito o una cascada de un tamaño y una forma imponentes. En las primeras etapas de la historia japonesa el hombre empleó de forma consciente esta belleza casual de la naturaleza. Las complicadísimas técnicas de la cerámica vidriada o las manchas caligráficas son un ejemplo del papel tan importante que el azar desempeña en el arte japonés. La cultura japonesa descubre una belleza en lo casual.

Pero no debemos pasar por alto que esta cultura tam-

El jardín, un fragmento de «naturaleza» limitado
por muros: el templo Toji-in, en Kioto.

bién reconoce la belleza en las formas que el hombre ha
creado sistemáticamente: por ejemplo en las delicadas proporciones de una mampara de papel, en las celosías de
madera de las fachadas de las tradicionales casas urbanas
o en el claro perfil del sistema de módulos de la arquitectura japonesa. Esta cultura concibe el objeto artificial
como una especie de conjunto de unidades cuyas piezas
se pueden combinar según reglas fijas para conseguir una
funcionalidad y una perfección estética cada vez mayores.
Es evidente que el instinto del juego innato en el hombre
le impulsa a variar y aumentar experimentalmente estas
reglas, impuestas por él mismo, en combinaciones y per-
mutaciones siempre nuevas.

Creo que estas dos formas de percibir la belleza, como
una casualidad natural o como una forma perfeccionada
por el hombre, no son alterantivas que se excluyen mutua-

mente. Al contrario, el cultivo *simultáneo* y la superposición consciente de ambas es lo que mejor caracteriza la
estética tradicional japonesa.

Esta superposición constante de lo metódicamente racional y lo casual, del ángulo recto y la forma natural, se
puede ver en todas las facetas del diseño japonés: en los
nichos de adorno *(tokonoma)* de las salas de té con una
caligrafía dentro, en los marcos rectangulares de una tradicional pared de papel que impone su sello a la imagen de
un grupo de rocas naturales, o en un decorado escénico
cuyo contenido –un león saltando entre el bambú– se
incluye dentro de un ritmo impuesto por la cuadrícula de
los bastidores corredizos. En el arte japonés se intensifica el
efecto de ambos principios normativos –aquí lo que crece
de forma natural, «lo informe», allí lo ortogonal y racional–
como las formas opuestas de la figura china del Yin y el
Yang. Ninguno de los dos principios tendría tanto efecto si
sólo respondiera a sí mismo. Sin el contraste de un marco
visual ortogonal o un fondo reticulado, algunos fragmen-
tos de rocas, por mucho cuidado que se hubiera puesto
en su elección, difícilmente podrían reconocerse como un
jardín. Por eso el «jardín» en Japón no se puede estudiar al
margen de la arquitectura. El contraste con el orden casual
de la naturaleza refuerza el orden racional del ángulo recto
y viceversa. La búsqueda de una unidad perfecta de esta
antítesis, la búsqueda de una especie de *unión mística*
estética, es para mí el motivo permanente en la percepción japonesa de la belleza. Como una constante que llega
hasta el día de hoy marcando todas las grandes obras del
arte japonés.

La tipificación perfecta: el orden a base de módulos del Kikugetsu-tei. La forma primitiva de
este pabellón del Parque Ritsurin en Takamatsu
City data de la época Edo.

Arquetipos del jardín japonés:
El país – el sintoísmo – la cosmología hindú – los mitos taoístas –
el budismo y las composiciones triádicas

La práctica de atar los árboles sirve para controlar su crecimiento y sostener las ramas en el invierno. Parque Kenroku-en en Kanazawa (época Edo).
Fotografía: Minao Tabata

El país: Las islas y los lagos de los dioses

kumori naki	Apenas unas nubes en lo alto
yama nite umi no	de los montes en torno al lago
tsuki mireba	en cuyas aguas veo la luna
shima zo kohori no	y las islas en el hielo
tae-ma narikeri	se vuelven agujeros

No podemos imaginar un retrato mejor de la configuración japonesa que este poema del siglo XII escrito por el monje poeta Saigyo. Quizá le sirviera de inspiración una vista del lago interior japonés. Japón es el país de las incontables islas situadas en el gran cinturón sísmico del Pacífico este; más del 70 por ciento del país es montañoso y también cuenta con numerosos volcanes en actividad y fuentes termales. Valles profundos surcan las cadenas montañosas y, mirando los escarpados acantilados de las islas japonesas, parece como si aquí la tierra tuviera su frente surcada con profundas arrugas que apenas dejan sitio a pequeñas playas. Las islas no tienen casi ninguna superficie llana. Si quisiéramos describir el vocabulario visual arquetípico del paisaje japonés, necesitaríamos expresiones como «pequeñas islas en el mar», «riachuelos serpenteando entre las montañas», «rocas afiladas en la costa», «cascadas precipitándose sobre muchos escalones» y «cantos rodados en arroyos de montaña». Éste es también el vocabulario formal de los jardines japoneses. Su lenguaje visual ha reflejado hasta el día de hoy el lenguaje del paisaje japonés.

Por eso tampoco nos sorprende que en la cosmogonía japonesa se reflejen también las condiciones topográficas del país. En el *Kojiki* del año 712 se encuentra el prototipo de la cosmogonía japonesa: dos divinidades primigenias crearon ocho islas en el origen de los tiempos. Más tarde se fueron añadiendo otros «elementos» de la naturaleza:

Iwakura, lugar donde se asienta la roca, arquetipo del objeto sagrado que se venera en el sintoísmo. Un cordón sagrado marca la roca. Jardín del relicario Achi en Kurashiki (época prehistórica).

El clima japonés conoce cuatro estaciones y se puede predecir el paso de una a otra casi con la fecha exacta. Los suaves cambios de la naturaleza en los periodos de transición no sólo han sido una fuente de inspiración para la poesía y la pintura japonesas, sino que también han determinado el calendario de las fiestas: los motivos de los kimonos, los ramos de flores en las decorativas alcobas de la casa tradicional e incluso las comidas en los restaurantes japoneses tradicionales, reflejan el paso de las estaciones. Hasta el día de hoy casi todas las cartas comienzan con un comentario sobre la flor propia de la estación, o sobre el calor o el frío que reina en el momento.

Aunque el arte japonés de la jardinería se desarrolló a lo largo de los siglos de forma diversa y dio lugar a jardines de los más variados tamaños, temas y efectos, en casi todas sus variedades podemos reconocer una lógica común del diseño que se relaciona íntimamente con el *genius loci* del paisaje japonés, es decir, con aquello que la imaginación del hombre identifica con el país «en sí».

Creencias del sintoísmo: arquetipos de lo sagrado

Los santuarios fijos a modo de templos aparecen relativamente tarde en el sintoísmo, la religión más antigua del Japón, es probable que en el siglo V ó VI de la cronología occidental. Los santuarios y los rituales que allí se celebraban durante la primera fase del sintoísmo, el sintoísmo natural, tenían una claridad formal y una simplicidad tales que su simbolismo ritual, casi diríamos universal, engendró tipos característicos de actos y «lugares» sagrados en el subconsciente colectivo del japonés. Aquí encontramos un lenguaje formal que no parece envejecer y que hasta el día de hoy ha cautivado a los turistas extranjeros.

el mar, los ríos, las montañas, los árboles y las plantas. Según Shigemori Mirei, esta antigua cosmogonía japonesa tiene su origen en la primera experiencia de los primitivos pobladores que atravesaron el mar en barco para asentarse en las islas japonesas. Estas experiencias dejaron huellas profundas en el subconsciente colectivo. Ya desde los tiempos más antiguos se conocen *shinto*, islas de los dioses, y *shinchi*, lagos de los dioses. En ellos se reconocen las formas primitivas de un arquetipo muy fecundo en toda la historia de la jardinería japonesa.

Jardín de la vivienda del sacerdote en el templo
Tenryu-in, en Kioto.

Un motivo constante en el modo japonés de
percibir la belleza: la unión mística del ángulo
recto con la forma natural. Jardín delantero
del templo Honen-in, en Kioto.

Los primitivos santuarios sintoístas reflejan diversos rasgos de las antiguas formas de vida y comportamiento del japonés: el respeto a la propiedad territorial, la veneración de la naturaleza, el sentido de la pureza y la cultura del arroz.

El arquetipo de la territorialidad: *shime*

El arte de anudar y atar fue, posiblemente, una de las primeras técnicas culturales manuales de los antiguos habitantes del Asia oriental. Atando hierba, arbustos o árboles se indica el derecho de propiedad de un terreno, una casa o todo aquello que el hombre considera digno de ser poseído. Un *shime* es una señal que marca la toma de posesión o de un derecho de propiedad y autoridad. En diversas publicaciones he explicado mis conclusiones sobre la compleja etimología de la palabra japonesa *shima*, «jardín», derivada de *shime*, un término arcaico. *Shime* significa literalmente «artefacto atado» que señala una «toma de posesión» (el verbo *shimeru* tiene los tres significados). La palabra *shima*, derivada de *shime*, significa en principio «tierra» o, más exactamente, «tierra tomada en posesión». Después incorpora el significado «jardín», concretando: «un trozo de tierra separada de la naturaleza salvaje». Finalmente la palabra adquirió el significado de «isla», un «trozo de tierra que flota en el mar indomado». En el término *shime-nawa* (literalmente «lazo», pero también «posesión»), que en los santuarios shinto designa las cintas que delimitan un ámbito sagrado o que marcan como sagrado un objeto digno de ser adorado, nos encontramos con el uso de la palabra *shime* fuera del campo semántico político-económico descrito hasta ahora. La palabra tiene aquí un significado mágico-religioso.[1]

Así pues la fascinación japonesa, más aún, la manía por atar, manipular y mutilar las plantas en los jardines o las reproducciones de paisajes en miniatura, arranca de una técnica cultural practicada en Japón desde hace siglos.

El arquetipo de la roca: *iwakura* e *iwasaka*

La apreciación de la belleza de una piedra natural fue desde el principio uno de los rasgos más destacados de la jardinería japonesa. Las piedras se introdujeron siempre en las composiciones de los jardines, ya fuera por su efecto táctil, escénico o simbólico. Para muchos científicos japoneses y occidentales, el amor que el japonés siente por la piedra o la roca sencilla y sin desbastar proviene del culto a las grandes rocas en los antiguos santuarios sintoístas. Es posible que la práctica de la adoración de la roca se remonte incluso a las puertas megalíticas en cuña del neolítico. En la religión sintoísta, las piedras dignas de veneración solían marcarse como «sagradas» con un *shime-nawa*. Un ejemplo de esta práctica lo encontramos en el santuario de Omiwa, cerca de Nara. Las piedras marcadas con una cinta sagrada se consideran *go-shintai*, la morada de una divinidad; por lo que a menudo se supuso que el sintoísmo prehistórico tenía que haber pasado una fase animista. Yo, por el contrario, pienso que el amor a la belleza de las piedras y la adoración de la presencia divina escondida tras esa belleza, son un fenómeno relativamente tardío en la evolución del sintoísmo. Al principio, las piedras divinas se llamaban *iwakura* e *iwasaka*, que literalmente se podría traducir como «lugar donde se asienta la roca» o bien «el límite de la roca». Por eso creo que en una fase muy primitiva y preanimista del sintoísmo, las piedras fueron empleadas como marcas fronterizas. Poste-

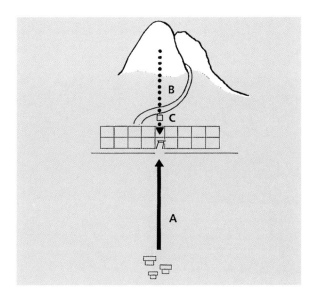

Diagrama de los campos de arroz sagrados, shinden. En él se representan por un lado las relaciones geománticas básicas entre la montaña, el agua y los campos de arroz y por otro la «senda» del hombre (A) o bien la «senda» de la divinidad de la montaña y los campos de arroz (B).

riormente se olvidó la función y el significado originario de las mismas y se les atribuyó un poder religioso. Y mucho después, las formaciones rocosas naturales empezaron a´ verse como lugares de la presencia divina.

Shigemori Mirei argumenta en contra de esta opinión que determinadas formaciones rocosas ya se consideraban sagradas desde un principio; a lo largo de la historia, el hombre habría ido añadiendo otras piedras a estas formaciones naturales y así se crearon lugares sagrados que, por lo menos en parte, habían sido remodelados por la mano del hombre. Al final todas las rocas fueron ordenadas por el hombre en un lugar sagrado. Aquí es donde habría que fijar el verdadero comienzo de la jardinería japonesa.[2]

Por muy opuestas que sean estas dos interpretaciones, ambas coinciden en un punto: la formación natural de piedras y rocas posee un estatus propio en el Japón. La piedra nunca desempeñó un papel especial como material de construcción en la arquitectura japonesa. En todo caso, fue empleada en los muros de las fortalezas. En lugar de utilizar la piedra y la roca como materiales constructivos, la cultura japonesa otorgó a la piedra un estatus religioso. En Japón se tiene una sensibilidad para apreciar la más sutil peculiaridad de la forma, el color y la constitución de una piedra, incluso se le atribuyen las características de una persona: las piedras tienen pies y cabeza, pecho y espalda. Y un jardín japonés resulta inconcebible sin una roca extraña –o una combinación de piedras.

El arquetipo agrario: *shinden*

En el santuario de los antepasados imperiales de Ise se sacrifican diariamente arroz y sake al dios del sol y el dios de los alimentos. El arroz se siembra exclusivamente con

este fin en campos sagrados llamados *shinden*. En estos campos de arroz descubrimos el último ejemplo superviviente de la antigua geomancia japonesa que a partir de las épocas Nara y Heian, es decir, tras la primera gran oleada de influencia china en el Japón, fue sustituida casi completamente por la geomancia china. Junto a las prácticas de la territorialidad descritas, el ciclo agrario del cultivo del arroz determinó la arquitectura de los lugares sagrados del sintoísmo y sus ritos religiosos (la cultura del arroz comenzó en Japón en la época Yayoi, entre el siglo II antes de Cristo y el siglo II después de Cristo).

Los distintos elementos de los campos sagrados de arroz se estructuran según relaciones geománticas claras y simples: en un lado se levanta una montaña de donde baja el agua y en el lado contrario se encuentra el *torii*, la típica puerta shinto que indica al peregrino la entrada al lugar sagrado y separa al mismo de su entorno profano. En este estadio primitivo del sintoísmo, el complejo todavía no se orientaba hacia el norte. Esta orientación de los lugares sagrados se introdujo por influencia de la geomancia china. Todo el complejo representa una especie de paraíso en el que la divinidad entra en contacto con el hombre y viceversa. El campo de arroz se integró a comienzos de la época Edo en el gran jardín de paseo de los daimio, los príncipes territoriales en la época Edo. Estos campos de arroz solían presentar la forma de un cuadrado mágico –tres veces tres cuadrados crean un cuadrado mágico.

Bajo la práctica religiosa de la creación y el cuidado del jardín sagrado se oculta la creencia de que los dioses tutelares pasan el invierno en las montañas, allí se los recoge con una ceremonia en la primavera y son llevados a los campos de arroz donde viven como dioses del campo hasta que, tras la cosecha del otoño, son devueltos a la mon-

El *shiki no himorogi*, arquetipo de un lugar
sagrado del sintoísmo cubierto con cantos rodados y
marcado por una cinta sagrada.

taña. Esta creencia religiosa se puede encontrar en todo el
Japón.

Tsukushi Nobuzane ha estudiado esta antigua creencia
popular, tomando como ejemplo los rituales religiosos en
los alrededores de la ciudad Ise. Nobuzane llegó a la conclusión de que esta creencia tiene su origen en la siguiente
idea: el dios del sol baja del cielo una vez al año y se asienta en la cumbre de una montaña. Los lugareños lo llevan al
valle en forma de un árbol talado y atraviesan el río con él
hasta el pie de la montaña. En la otra orilla, la aldea celebra después la llegada de la divinidad. Una de las jóvenes
vírgenes de la aldea sirve al dios durante una noche como
sacerdotisa y esposa. De aquí podemos deducir que los primitivos lugares de culto a los dioses se encontraban cerca
de un río y que no serían apenas nada más que un trozo
de tierra cubierta de guijarros y marcada con un cordón,
en cuyo centro se encontraba un árbol recién cortado.[3]

Muchas conjeturas se han hecho con respecto al miste-
rioso *shiki no himorogi*; sólo sabemos que se trataba de
zonas sagradas cubiertas de cantos rodados donde se celebraban abluciones. Estos lugares ya se citan en las crónicas del siglo VIII y todavía hoy aparecen en casi todos los
relicarios sintoístas. En el relicario de Ise se encuentra un
shiki no himorogi especialmente hermoso.

Yo creo que los *shiki no himorogi* tienen su origen en
antiguas plantas depurativas de las orillas de los ríos y que
tienen una estrecha relación con los rituales descritos por
Tsukushi Nobuzane. La divinidad se le apareció por primera vez al pueblo creyente en la orilla del río. Las riberas
fluviales o las superficies cubiertas de cantos rodados en
los jardines japoneses son algo más que copias ingenuas
de un fenómeno natural. Son arquetipos de un lugar digno de respeto, es decir, un lugar de la teofanía.

20

Una composición de rocas como símbolo del
Shumi-sen según la antigua visión hindo-budista
del eje del mundo. Jardín del templo Raikyu-ji,
en Takahashi City.

Cosmología hindú: la montaña como eje del mundo

La ascensión del budismo en el Japón marcó también la expansión de una imagen arquetípica especialmente fecunda procedente de la cosmología de una cultura extranjera: la imagen de la montaña cósmica *Shumi-sen* (la montaña Shumi) en el centro del mundo. Encontramos representaciones de esta montaña en muchos jardines japoneses. Las fuentes budistas primitivas que, a su vez, se remontan a imágenes hindúes todavía más antiguas, conciben el mundo como una «formación circular coherente rodeada por un macizo montañoso de hierro, *Cakravala*».[4]

Aunque conocemos diversas versiones de la cosmología budista *Cakravala*, parece que todas ellas están marcadas por la idea de que el mundo es un disco redondo en cuyo centro se encuentra el *Shumi-sen*, la montaña Shumi. Alrededor del centro se levantan siete macizos montañosos en círculos concéntricos que están rodeados por un último macizo montañoso circular de hierro, el *Cakravala*. Entre estos macizos se abren océanos. El hombre habita solamente cuatro islas del océano situado entre el séptimo macizo y el *Cakravala*. En los otros océanos existen otras ocho islas deshabitadas. El disco se asienta sobre una base de tierra dorada que, a su vez, flota sobre agua.

En este punto hay que atajar un malentendido muy lógico: no debemos olvidar que se trata de una concepción de todo el universo, más que de una imagen de la tierra. El *Shumi-sen* representa el eje del universo y los dorados macizos montañosos, ordenados en círculos concéntricos en torno al *Shumi-sen*, marcan distintas esferas celestes y de meditación[5].

Esta cosmología de origen hindú se refleja en el jardín japonés. A menudo sobresale una piedra aislada, en ocasiones rodeada por piedras más pequeñas, que ocupa un puesto especial en el jardín, simbolizando el *Shumi-sen*. También puede ocurrir que la composición general de un jardín adopte el esquema de las nueve montañas y los ocho océanos de la cosmología hindú. Uno de los jardines más hermosos de este tipo se encuentra delante del Pabellón dorado (Kioto), donde las distintas islas y rocas reflejadas en el lago se pueden interpretar como una reproducción de la idea del universo de origen hindú.

Pero lo que marcó el espíritu de los isleños japoneses fueron, más que los detalles de la cosmología hindo-budista, la imponente imagen de la *montaña* en el centro del mundo y del *agua* como germen de todo. La montaña y el agua confluyen en la imagen de la *isla* que aparece, no sólo en la cosmología japonesa, como la primera manifestación de la tierra e incluso como la forma misma.

El que la montaña cósmica aparezca con tanta frecuencia en la jardinería japonesa es, por lo tanto, una prueba de la simplicidad evocadora, de la fuerza y la belleza de este modelo precientífico del universo. Lo que he llamado aquí «imagen arquetípica» es para Mircea Eliade un «símbolo». Un verdadero «símbolo», dice Eliade, «va dirigido al hombre entero y no sólo a su intelecto». La imagen de la isla en el mar es un símbolo de este tipo.[6]

A menudo se proyectaron también jardines según la forma de un mandala, con el eje del mundo en el centro. Ésto no nos sorprende si tenemos en cuenta que el mandala reproduce los principios estructurales de la concepción hindú del mundo y el principio formal de muchas grandes obras de arte en el Asia oriental.

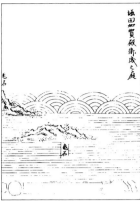

Las «Islas de las grullas» a la izquierda y dos «Islas de las tortugas» a la derecha representan, en ésta y otras combinaciones, a las «Islas de los bienaventurados». En este caso se trata de una reproducción de un libro sobre jardinería del siglo XVII.

Mitología taoísta: las Islas de los bienaventurados

Un acontecimiento místico tiene más influencia en nuestra fantasía que un hecho histórico. Ello se debe a que la claridad arquetípica de los mitos afecta a nuestras esperanzas y miedos inconscientes más profundos, y los refleja al mismo tiempo. La historia lleva cuenta de los datos y los hechos; mientras que los mitos hablan desde el inconsciente, quizá desde el así llamado inconsciente colectivo. El miedo a la vejez y a la muerte, por ejemplo, se asienta en el inconsciente más allá de la historia. Precisamente el mito taoísta de una isla de los inmortales surge de ese temor a la vejez y a la muerte y de nuestro deseo de alcanzar la juventud eterna. En las imágenes y promesas de la actual industria cosmética todavía podemos descubrir la búsqueda incansable del hombre por encontrar una fuente de la juventud.

Según la antigua mitología china, en un lugar lejano al este de la costa china existen cinco islas donde los hombres han alcanzado la inmortalidad y conviven en eterna armonía. Allí reina la armonía entre el hombre y la mujer e incluso entre el ser humano y la naturaleza. Los inmortales vuelan alrededor de la cumbre de la montaña montados en grullas. Las islas se asientan sobre el caparazón de una gigantesca tortuga acuática que, tras luchar con un mónstruo marino, ha perdido dos de las cinco islas.

El hecho de que los emperadores chinos organizaran varias expediciones para encontrar estas islas y arrancar a los inmortales el secreto del elixir de la vida, es una prueba de la influencia que este mito ejerció durante más de un milenio en el espíritu de China y Japón. Los chinos comenzaron a dudar del éxito de estas expediciones en torno al siglo I antes de Cristo; entonces el emperador Wu tuvo la idea de invitar a los inmortales a su palacio. Con este fin mandó crear un jardín que imitara lo mejor posible el paisaje de las islas míticas. En un gran lago artificial mandó levantar las cuatro islas en las que construyó palacios para los inmortales. En la orilla del lago levantó una torre de sesenta metros de altura, desde la cual pensaba comunicarse con los inmortales.[7]

El mito de la Isla de los bienaventurados tuvo que haber llegado a Japón antes de la introducción del budismo, puesto que ya se cita en el *Nihon shoki*, los anales de Japón (en torno al 720 después de Cristo). Allí se dice en una anotación del año 478 que el hijo de un cierto Urashima había llegado con su amada, salida de una tortuga, a la Isla de los bienaventurados y había visto a los inmortales.[8]

Como demuestra la historia, este mito cautivó al Japón tanto como el mito de la montaña en el centro del mundo. Hasta finales de la época Edo marcó la arquitectura de los jardines japoneses. No obstante, debo añadir que Japón redujo las cinco islas a *una* sola, la isla *P'eng-lai*, en japonés *Horai-zan*. Un monte Horai, una isla Horai o bien una piedra Horai, a veces incluso aparece una Isla de las grullas o de las tortugas como símbolo de la Isla de los bienaventurados en la jardinería japonesa. Las grullas y las tortugas, en cierta medida «pars pro toto», se convirtieron en símbolos autónomos de la longevidad. En todas las fiestas japonesas encontramos el símbolo de la grulla o la tortuga, ya sea en pinturas, ornamentos florares o en figuras de papel.

Dado su gran parecido externo, ambos mitos comenzaron a superponerse en Japón. La narración mitológica hindo-budista de una montaña en el centro del mundo desemboca en una narración sobre la liberación en el Nirvana. El mito taoísta de la Isla de los bienaventurados desemboca en una narración drámatica sobre el logro de la vida eterna. Ambos mitos ya se habían superpuesto en la antigua China y terminaron por entrelazarse completamente en Japón. Quizá por eso la imagen del universo es tan parecida en ambos mitos hasta el punto de que, tanto en China como en Japón, se llegó a olvidar qué distintos son los «caminos» de la redención en ambos mitos: en el primero es el camino de la meditación y en el segundo el camino de la magia.

Creencias budistas: el paraíso de Buda Amida

No sólo los caminos de la meditación y la magia tuvieron su expresión en la jardinería japonesa de los santuarios budistas. Un tercer camino, el de la entrega, hizo que germinara una visión del paraíso que tuvo un correlato concreto en los lagos con islas.

El budismo Mahayana presupone que el universo está dividido en diez reinos en los que coexisten infinitos sistemas planetarios. Algunos de estos sistemas, que quizá pudiéramos denominar campos de Buda, se encuentran bajo la influencia de diversos budas. Según esta cosmología existe un país de la pureza llamado *Sukhavati*, en japonés *Jodo*, en el «extremo provisional del mundo en el oeste» en un «universo infinito»[9]. Este país se encuentra bajo la influencia de Amida, un buda transhistórico de la luz y la vida eterna. La idea del país de la pureza con su regente Amida se convirtió en una imagen de gran influencia en las culturas china y japonesa. Quien, tras la muerte, se vuelva a reencarnar en la tierra en el país de la pureza de

Amida, habrá dado un gran paso en su camino por alcanzar la forma de Buda. La fe en Amida y su paraíso se remonta a tres sutras hindúes escritas entre el siglo II y el siglo V de nuestra cronología. El sabio Shakyamuni cuenta que Amida prometió salvar a todo aquel que le consagrara su vida. Shakyamuni incluye en su narración una descripción detallada y pintoresca de este paradisíaco país de la pureza: palacios lujosamente adornados y placenteros jardines llenos de bosquecillos umbrosos y lagos cubiertos de loto.

El budismo Mahayana, del que procede esta imagen, suele ser considerado como el «gran vehículo» del budismo. En lugar de las penosas prácticas de la meditación de otras sectas budistas, aquí basta con la oración y la contemplación. Quizá por eso el budismo Amida sea la secta con mayor número de miembros en Japón y China –como es lógico, la mayoría de los santuarios japoneses pertenecen a la misma. Si se observan detenidamente, las visiones del paraíso Amida también resultan ser modelos de la buena vida en la tierra –y no en el cielo–. Cuando se contemplan las representaciones del país de la pureza en los mandalas o en un jardín influenciado por este mito, se reconocen claras afinidades entre los palacios y los antiguos jardines del Oriente Medio y el país de la pureza de Amida. Es posible, por tanto, que esta mitología se base en informes sobre los palacios del Oriente Medio, lo que también explicaría el porqué este legenario país de la pureza se encuentra en el oeste y no en el este.

Bajo todos los temores se oculta el miedo a la muerte que está más allá de lo realmente histórico. Los tres últimos arquetipos de la jardinería japonesa presentados aquí tienen algo en común: todos ellos expresan el deseo del hombre de vencer a la naturaleza y escapar a la muerte que

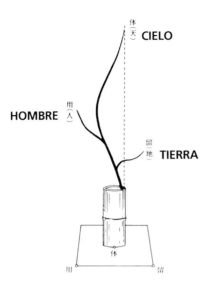

CIELO

HOMBRE

TIERRA

La tríada como principio estético arquetípico: horizontales, verticales y diagonales simbolizan la relación cielo-tierra-hombre en esta composición floral.

ésta le ha impuesto. Paradójicamente, ésto significa que el hombre intenta superar la naturaleza mediante una naturaleza creada por él.

La trilogía pétrea: El equilibrio de los números impares

Es de suponer que los tríos de rocas aparecen en los jardines japoneses desde la época Nara. Semejantes composiciones aparecen en el *Sakutei-ki*, el texto más antiguo sobre la jardinería japonesa, con el nombre *hinbunseki-gumi* o bien *sanzonseki-gumi*. Los *hinbunseki-gumi* son grupos de piedras inspirados formalmente en la letra china empleada para el artículo. En estos casos, la composición triádica se dispone en sentido horizontal. Los *sanzonseki-gumi*, por el contrario, son composiciones de rocas que recuerdan formalmente a las esculturas de una trinidad budista. En estos casos, la composición triádica se coloca en la vertical. Estas composiciones se pueden encontrar en diversas versiones a lo largo de la historia de la jardinería japonesa –a veces aisladas monolíticamente, a veces junto a otras composiciones pétreas, al lado de una cascada o en la orilla de un lago.

Lo esencial de estos grupos de piedras de origen budista no es su significado religioso sino compositivo: una roca grande en el medio y dos más pequeñas a cada lado. Yo me niego a aceptar la teoría predominante hoy en día que defiende la conexión de los valores religiosos y estéticos. Según la misma, «los valores estéticos proceden por regla general del ámbito religioso y sólo comienzan a evolucionar de una forma autónoma cuando los valores religiosos pierden importancia»[10]. Las tríadas pétreas son un buen ejemplo de lo erróneo de esta teoría: si tenemos en cuenta

que se adoptaron en las iconografías más diversas, podemos suponer que se trata de un arquetipo arraigado en lo profundo del hombre. Por eso parto del supuesto de que las formas estéticas siempre tienen un cierto grado de autonomía, que poseen una evidencia propia e interior, independiente de la religión.

El equilibrio dinámico de los números impares, principio latente de la tríada, resulta omnipresente en la cultura japonesa. La tensa configuración de tres elementos, uno grande, uno pequeño y uno mediano, no sólo es el principio compositivo fundamental de la jardinería japonesa, sino también del teatro noh y el arte de componer flores, *ikebana*. En este arte se habla de los tres elementos compositivos básicos como la «rama de la verdad», la «rama secundaria» y «lo fluctuante». Esta división afecta también al tamaño que, partiendo de «la rama de la verdad», disminuye progresivamente hasta «lo fluctuante». Según la definición arquetípica china de la estructura ternaria del universo, las tres ramas del *ikebana* se suelen llamar *ten*, cielo, *chi*, tierra, y *jin*, hombre. En ocasiones también se habla de este grupo ternario como una tríada de campos de fuerzas que se corresponde con la tríada cielo, tierra y hombre: una horizontal, una diagonal y una vertical.[11]

El jardín japonés en la historia:
Del prototipo al tipo y al estereotipo

Podemos rastrear la evolución de la vida espiritual japonesa en la relación del arquitecto de jardines con las rocas y las plantas. Esta relación sufrirá fuertes cambios a lo largo de los siglos: al principio, el artista intenta imitar las manifestaciones externas de la naturaleza. A medida que comprende las reglas que rigen la naturaleza, la importancia se traslada de la imitación de las manifestaciones externas a la imitación de su esencia interna, a la representación de su regularidad interna. Hasta la época moderna, el hombre no comenzará a imponer a la naturaleza su propia voluntad egoísta.

Cada época histórica de la jardinería ha marcado los arquetipos anteriormente descritos con sus propias ideas sobre la forma y la función; a partir de los arquetipos fueron surgiendo prototipos siempre nuevos y originales. La evolución del lenguaje formal de estos prototipos guarda una estrecha relación con la evolución del concepto de la naturaleza, con los procesos socioeconómicos y las corrientes religiosas y filosóficas, en resumen: con el clima intelectual en el que se desarrolla la arquitectura.

La creación de un nuevo prototipo y su configuración en distintos tipos no implica que el prototipo de la época anterior se archive sin más en las actas de la historia. La creación de un nuevo prototipo debe entenderse más bien como un proceso de reinterpretación de un modelo anterior, en el cual lo antiguo recibe la impronta de lo nuevo o, dicho de otro modo, en el que lo antiguo y lo nuevo se unen en una nueva combinación. El prototipo, por tanto, no es lo nuevo por excelencia, sino una reinterpretación creativa de lo anterior. Es más, al mirar hacia el pasado, con frecuencia se puede descubrir en el prototipo anterior el núcleo latente de uno nuevo. El prototipo se manifiesta en una época determinada en diversos tipos cuya afinidad formal con el prototipo los acredita como sus descendientes legítimos. Quisiera oponer el concepto de «estereotipo» a los términos de «prototipo» y «tipo». Yo empleo el término «estereotipo» para designar aquellos jardines en los que podemos reconocer una copia, una reproducción vacía y puramente mecánica de los modelos históricos heredados.

Partiendo de la «Theory of Formal Types» de Ambasz, concibo el prototipo como el producto de un concepto puramente artístico, el tipo como el producto de la configuración artesanal de la imagen artística y el estereotipo como el producto de la explotación comercial de conceptos anticuados.[12]

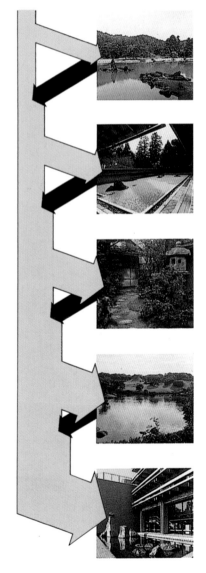

神池仙山

Islas y lagos sagrados
El jardín de recreo

Los jardines de las épocas Asuka, Nara y Heian muestran claramente las huellas de la primera gran oleada de influencia china en la cultura japonesa. El panorama de este primer prototipo de la jardinería japonesa está dominado por los lagos y las islas. Por tanto, los jardines de esta época son un reflejo exacto de la palabra japonesa *sino* para designar el «paisaje», *san-sui*, que en sentido literal significa «montaña y agua». Los jardines de la época Heian son relativamente grandes y están concebidos para ser recorridos en barca. En realidad, lo correcto sería designarlos

como paisajes acuáticos y no como jardines paisajísticos. Estos jardines suelen estar encuadrados dentro del marco ortogonal de la arquitectura Shinden de los palacios nobles o de los templos del budismo Amida de la época. Generalmente los jardines fueron proyectados por sus propietarios nobles; para ellos el jardín era en primer término un lugar donde se manifestaba la pompa cortesana. Así pues, el objetivo primordial era la imitación de la naturaleza en sus manifestaciones externas: como marco para el recreo de la corte.

El kyokusui no niwa, el jardín del arroyo sinuoso de la época Nara. El jardín se descubrió en unas excavaciones arqueológicas cerca del palacio imperial de Nara y se reconstruyó entre 1975 y 1984. El lago del jardín formaba parte de un gran complejo de palacios imperiales que sirvieron de residencia a los aristócratas Nara.

Los jardines en el antiguo Japón

Casi no se ha conservado nada de los primitivos jardines japoneses. Sólo podemos hacernos una idea hipotética de su aspecto a partir de las pocas fuentes escritas y las excavaciones arqueológicas. En este punto seguimos a los científicos japoneses más importantes.

La *Nihon shoki*, una crónica de la historia japonesa del año 720 de nuestra cronología, incluye entre otras cosas comentarios dispersos sobre los jardines del Japón prehistórico. Ordenados y vistos en conjunto, estos comentarios ofrecen una imagen bastante clara de los primeros jardines palaciegos. A continuación reproducimos algunas de las anotaciones y comentarios del *Nihon shoki*:

En la primavera del año 74 de nuestra cronología, «el emperador Keiko soltó algunas carpas en un lago del jardín de su residencia, el palacio Kuguri, deleitándose al contemplarlas por las mañanas y por las tardes»[13]. En el año 401, el emperador Richu mandó construir un lago en el jardín de su palacio en Ihare. En noviembre del año 402, «el emperador botó un barco de doble casco en el lago Ichishi y subió a bordo con la concubina imperial donde celebraron un banquete»[14]. En el año 413, la dama del emperador Ingio se recreaba «paseando sola por el jardín». Un día llegó un hombre de noble linaje montado a caballo, miró por encima del seto y dijo: «Sois una jardinera extraordinaria. ¿Me negaría la dama el don de una orquídea?»[15]. En el año 486, «el emperador Kenzo fue al jardín, donde celebró una fiesta a la orilla del arroyo sinuoso».[16]

En el año 612 un emigrante coreano fue condenado al exilio en una isla solitaria por tener la piel salpicada de manchas. Pero consiguió cambiar su suerte cuando explicó a la emperatriz Suiko: «Puedo modelar colinas y monta-

ñas». Gracias a su especial talento escapó al exilio y se le mandó levantar en los terrenos al sur del palacio imperial una «montaña Shumi» y un «puente Kure»[17]. Se supone que el puente Kure era un puente ornamental en forma de arco. El aspecto de la montaña Shumi sigue siendo todavía un enigma pendiente.

Durante el reinado de la misma emperatriz Suiko también ocurrió el siguiente suceso: En el año 625, el ministro Soga no Umako, perteneciente al poderoso clan Soga, mandó construir en su palacio «a orillas del río Askua un lago con una pequeña isla. Y por eso las gentes le llamaban *Shima no oho omi*, el Señor de la isla»[18]. El palacio pasó después a manos de la familia imperial y recibió el nombre *Shima no miya*, Palacio de las islas. Este palacio fue ensalzado varias veces en la más antigua antología poética japonesa, el *Manyoshu*, la «Colección de las hojas incontables».

Por fragmentarias y dispersas que sean estas alusiones literarias, a partir de ellas podemos hacernos una idea bastante exacta de la primitiva jardinería japonesa. Los arcaicos jardines palaciegos tenían un tamaño impresionante. ¿Por qué razón si no se habría apodado a un poderoso ministro según su jardín? Los jardines se proyectaban en la parte meridional de los palacios del emperador y sus altos dignatarios. También se pueden determinar sus principales elementos escénicos: el lago con una o varias islas, símbolo del paisaje marino, así como las «montañas» modeladas por el hombre y el arroyo sinuoso con piedras dispuestas en la orilla.

Es imposible reconstruir el sitio exacto donde se encontraban estos jardines en Fujiwara-kyo, capital del clan Fujiwara (694–710), o en Heijo-kyo, «la capital como palacio del reposo»; así como tampoco la situación concreta del

complejo palaciego. Sólo unos pocos jardines de esta época se han podido poner al descubierto durante las excavaciones arqueológicas pero, incluso en estos casos, su reconstrucción no deja de ser hipotética y especulativa. En general se parte de la base que los palacios y sus santuarios budistas son modestas imitaciones de los de la dinastía Tang en China. De ahí que también podamos suponer que los jardines de esta época estaban influenciados por la jardinería de esta dinastía, es decir, que se trataba de gigantescos parques de «recreo» o jardines con rocas que reproducían paisajes con montañas y cañadas, así como también jardines para cortesanos y ministros.

En general se considera el 552 como el año en que el Japón comenzó a copiar la cultura china, que era bastante superior. Tal como informan las dos crónicas más antiguas de Japón, el *Kojiki* del año 712 y el *Nihon shoki* del año 720, el budismo se introdujo oficialmente en Japón en el 552. Con el budismo (importado por los japoneses del reino de Corea) llegaron también la escritura y diversos objetos de arte chinos. Esto no quiere decir que hasta ahora Japón no hubiera tenido contacto con China y Corea. Como mucho se puede hablar de la intensificación del intercambio cultural. Varley resume la historia de las relaciones de las islas japonesas con Corea y China, más intensas a partir de entonces, del modo siguiente:

«Japón envió un total de cuatro legaciones entre el 600 y el 614 a la China de la dinastía Sui, más tarde le seguirían otras 15 a la China de la dinastía Tang en los años 630–838. Las legaciones mayores constaban de unos quinientos miembros –diplomáticos, estudiantes, monjes budistas y traductores– para cuyo transporte a menudo eran necesarios no menos de cuatro barcos. Algunos miembros de estas legaciones permanecieron por largo

tiempo en China –treinta años no era un caso extraño– y otros no volvieron nunca más. Puesto que la travesía se consideraba muy peligrosa, el gran número de voluntarios nos da una idea de la avidez con la que los japoneses de la época intentaban aprender la ciencia y la cultura chinas.»[19]

La primera gran oleada de influencia china ha dejado huellas en la vida intelectual y el arte japonés que todavía hoy resultan palpables. Sierksma parte de tres fases en los procesos de aculturación. Distingue una fase de identificación con la cultura extranjera en la que tan sólo se imitan los logros culturales de otro país; una fase de reinterpretación de la cultura extranjera y una fase de completa asimilación. Me gustaría aplicar este esquema al proceso japonés de aculturación de la cultura china de la forma siguiente: sitúo la primera fase en la época de los túmulos (250–552) y en la época Asuka (552–710), la segunda comienza con la época Nara (710–794) y termina en la época Heian temprana. Sierksma apunta sobre la segunda fase:

«El rasgo peculiar de la aculturación es la reinterpretación. Los objetos de arte y las ideas de la cultura base sufren un cambio semántico en el contexto de la cultura receptora. Y al contrario, los elementos originarios de la cultura receptora pueden sufrir un cambio semántico en el contexto de los nuevos elementos extraños.»[20]

El permanente intercambio cultural con China durante estas dos fases tuvo profundas repercusiones en la religión, el arte, la forma de gobierno y las estructuras sociales y económicas del Japón. La época de intercambio intenso tiene un final abrupto en el año 894, cien años después de la fundación de Heian-kyo. Poco antes de la caída de la dinastía Tang en China, Japón rompe todas sus relaciones diplomáticas y culturales con el país.

Por tanto en este momento comienza la tercera fase del proceso de aculturización, la fase de integración completa de los valores y las formas chinas. Esta fase alcanzaría su apogeo unos cien años después de la ruptura de las relaciones culturales con China.

La época Heian

Los jardines y la arquitectura de la primera mitad de la época Heian (794–1185) deben considerarse todavía como reinterpretaciones de los modelos chinos. Hasta la segunda mitad de la época Heian no entramos en la fase de la asimilación y la evolución autónoma de los modelos chinos.

Por orden del emperador Kammu, la capital de Japón se trasladó por última vez en la era Yamato, en el año 794, a Heian-kyo, la actual Kioto, la «capital de la calma y la paz». No sería hasta 1886 cuando se volviera a trasladar a Edo que, en esta ocasión, recibió un nombre más familiar para nosotros: Tokio, la «capital del este».

La estructura reticular del barrio gubernamental y los edificios del complejo del Palacio Imperial de Heian-kyo recuerdan claramente a su magnífico –y bastante más grande– modelo en Changan, capital de China durante las dinastías Sui y Tang. Heian-kyo se incorpora al paisaje y se orienta geográficamente según las reglas de la geomancia china. El jardín de la zona palaciega y los palacios de la nobleza siguen las mismas reglas.

La geomancia japonesa *sino* como una teoría holística del diseño

La geomancia es, según nuestra forma de pensar, una de las ciencias naturales heterodoxas de China, donde se la conoce con distintos nombres: *feng-shui*, literalmente agua-viento, que es el más usual; a menudo también se la suele denominar *kan-yu*, cubierta-soporte, o sencillamente *ti-li*, modelo-país. Este campo de la ciencia china se llama en Japón *chiso*, fisionomía del país, o *kaso*, fisionomía de la casa. La geomancia es una ciencia que se ocupa de determinar la forma energética y el lugar más apropiado para instalar una casa, una tumba o toda una ciudad, dentro de su entorno natural o artificial.

La geomancia japonesa *sino* se basa en una concepción holística del cosmos, en la cual el hombre se entiende como una pieza integral de la naturaleza y de sus campos de energía. La geomancia razona siguiendo complicadas correlaciones entre factores geofísicos –formas geológicas del país, clima, campos magnéticos–, factores astrales –movimientos de las estrellas, solsticios, fases de la luna– y el estado psicosomático del hombre. Aquí quiero ocuparme con detalle de esta ciencia, no sólo porque es muy distinta de la primitiva geomancia japonesa que he citado anteriormente, sino porque además tiene una gran importancia para el arte de la jardinería japonesa: con su ayuda se determinó la situación geográfica del jardín. A partir del reinado del emperador Temmu, la geomancia incluso llegó a convertirse en un asunto de estado, para lo cual el emperador creó en la capital una central de inspección: el *Ommyo-ryo*, la oficina del Yin y el Yang. A pesar de lo supersticioso de la misma, la geomancia encierra un núcleo de verdad: el conocimiento de la relación ecológica entre el hombre y las fuerzas de la naturaleza. La lógica del *feng-shui*, es decir la geomancia china, no resulta fácil de entender en Occidente. Lo característico de esta ciencia es una forma de conocimiento cuyo mejor calificativo podría ser *inductivo, sintético* o *sincrónico*, utilizando algunos términos introducidos por Porkert y Carl Gustav Jung. Esta forma de conocimiento resulta muy extraña para el mundo occidental, que razona de un modo *causal, analítico* o *diacrónico*.[21]

El no iniciado verá la geomancia como una gran colección de reglas y preceptos que creemos poder desenmascarar como adorno de motivos demasiado humanos: son la expresión del miedo del hombre frente a las fuerzas incontrolables de la naturaleza, el miedo del vecino malicioso, pero también simplemente la codicia. A pesar de estos argumentos occidentales extraídos del inventario de la crítica religiosa racionalista, se mantiene la idea de que la geomancia japonesa *sino* está basada en un profundo conocimiento humano de la interdependencia de todas las esferas de la realidad, tanto las naturales como las artificiales. Tampoco debemos olvidar que, en un análisis anterior al racionalismo o al margen de él, la geomancia formula la noción del tipo de energía que constituye la base de todas las realidades, una noción que en el mundo occidental se abrirá camino con la física moderna.

Cuando la geomancia china se introdujo en el Japón era ya una compleja amalgama de una forma de pensamiento y conocimiento más bien intuitiva, pero de orientación cosmológico-racionalista. El principal instrumento de conocimiento de la escuela racional es el «compás» geomántico, una reproducción del cosmos con sus relaciones espaciales y temporales, en cierto sentido un mandala chino, una representación iconográfica del universo.

El compás geomántico chino suele estar dividido en tres niveles: el cielo, la tierra y el hombre. En ellos reconocemos otra vez la tríada fundamental de la cosmovisión china. Según la tradición de la antigua especulación china sobre el cosmos, el compás concibe el cielo con la forma redonda y la tierra con la forma cuadrada. En su centro se encuentra una aguja magnética. Distintos conceptos opuestos procedentes de la mitología y la ciencia chinas, se reparten en torno a la aguja en círculos concéntricos: conceptos como el Yin y el Yang, es decir, que expresan las polaridades de todos los fenómenos naturales. Estos conceptos proceden del *go-gyo*, las cinco fases evolutivas de la ciencia china, así como los 8 trigramas y los 64 hexagramas del I-Ching y los ciclos del calendario chino de la luna y el sol. El compás geomántico interrelaciona todas estas categorías no sólo con el mundo externo, sino también con el universo interior del hombre. La geomancia práctica se podría entender como una especie de acupuntura de la naturaleza y la acupuntura como una especie de geomancia del cuerpo humano. Si se observa una concepción holística semejante en la que el mundo interior del hombre y el mundo exterior se reflejan mutuamente, no nos sorpende que la jardinería esté sometida a los dictados de la geomancia.

El hecho de que los jardines, las ciudades y los palacios de China y Japón se encuentren orientados hacia el norte, es la consecuencia más destacada de esta cosmovisión. Los chinos creían que todo el poder procedía de un cielo que no estaba concebido como un ser personificado, y que el emperador servía en cierta medida de estación receptora, «atraía a la tierra» el poder del cielo hasta que era demasiado viejo para cumplir por más tiempo su mandato celestial. El emperador suele ser comparado con la estrella

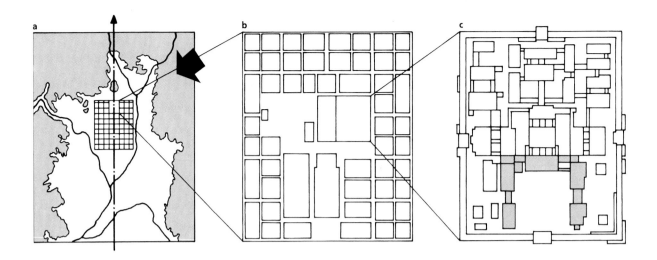

polar, en los antiguos textos chinos a menudo aparece como «el gran emperador en el firmamento». La imagen se explica fácilmente: cuando se contempla el cielo, parece como si todas las constelaciones estuvieran girando en corro alrededor de la estrella polar, como si ésta fuera el eje del mundo de donde pende todo lo demás. El emperador, el hijo del cielo, era para los antiguos chinos la figura en torno a la cual giran todos los intereses religiosos y profanos, lo consideraban el eje del mundo en la tierra. Puesto que la estrella polar se encuentra casi en el norte exacto, también la colocación ritual del emperador debía fijarse exactamente en el norte o en el centro de su capital o el palacio. Este axioma cosmológico llevó a los japoneses a orientar hacia el norte las capitales, los palacios gubernamentales, las residencias de la nobleza, los jardines e incluso el relicario de los antepasados imperiales en Ise.

En el centro de la geomancia intiutiva se encuentra la búsqueda de un lugar ideal para la colocación de las tumbas o para erigir una ciudad. Ambas debían estar en armonía con las complejas configuraciones de la naturaleza, ya fueran estrictamente naturales o modeladas por el hombre. De acuerdo con esta escuela, las ciudades y también las tumbas debían adoptar siempre una «situación tipo sillón»: las montañas o las colinas debían rodearlas como poco por tres lados, de forma que las colinas laterales se pueden considerar los brazos y la del fondo el respaldo. En algunos casos concretos era posible sustituir el cercado de las montañas por muros, setos o edificios. La palabra china para designar un lugar ideal semejante es además *xue,* que significa tanto como cueva o refugio; es decir, un término que subraya especialmente la función de cobijo de este tipo de lugares. Resulta significativo que tanto en chino como en japonés generalmente se emplee

este mismo ideograma para designar un punto de acupuntura.

En condiciones ideales, el sillón se abre hacia el sur y está rodeado por montañas en las otras tres direcciones. La situación de la antigua capital Heian-kyo, en la cuenca del Yamashiro (*Yamashiro* significa literalmente «ciudadela de la montaña»), así como la del *Dairi*, el palacio imperial urbano, cumplen estas condiciones.

La escuela geomántica de tendencia intuitiva nunca dispuso de ningún instrumento técnico como el compás geomántico con el que se hubiera podido fijar la situación ideal de una obra. La determinación de un lugar precisaba más bien una intuición para captar lo que los chinos llaman *ki* y cuya traducción más acertada (según M. Porkert) sería «energía configurativa», la corriente de energía que atraviesa una compleja configuración natural o artificial. La intuición para captar esta corriente de energía no se podía aprender teóricamente, había que adquirirla con la práctica bajo la dirección de un geomanta experimentado.

Dentro de este contexto resulta interesante señalar que también la medicina tradicional china trabaja con el concepto del *ki*. Estas coincidencias y otras similares nos llevan a suponer que, posiblemente, la acupuntura china tiene su origen en la geomancia, una ciencia más antigua, sobre todo si tenemos en cuenta que muchos nombres de los puntos de acupuntura aluden a términos geográficos y topográficos. Por ejemplo, conocemos puntos con nombres como «fuente que susurra», «mar de la energía», «pequeño pantano», «lago de la curvatura», «jardín interior», «monte exterior» o «monte receptor».

Según la escuela formal de la geomancia, el lugar apropiado para un asentamiento, una casa o un jardín se reconoce encontrando el «vientre del dragón». Los repliegues

Ilustración a: Heian-kyo, la actual Kioto, se fundó en el año 794. Un macizo montañoso rodea la ciudad como si ésta se levantara sobre el asiento de un sillón cuyos brazos la acogen protegiéndola. La ciudad se abre en el sur hacia una amplia llanura. El monte Hiei cierra la ciudad en el noreste en la «puerta del diablo».

Ilustración b: dai-dairi, la ciudad de los palacios. En el sur se levantan dos grandes complejos de edificios para las ceremonias oficiales, en el centro se encuentra la residencia imperial.

Ilustración c: dairi, la residencia imperial. Aquí aparece el pabellón principal, shishin-den, y dos alas laterales salientes que, a su vez, rodean un patio interior como los brazos de un sillón.

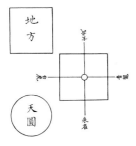

El abecedario cosmológico de la geomancia. El dibujo ilustra los dogmas fundamentales de la geomancia: la tierra es redonda y está acogida por el círculo celestial, los cuatro animales celestiales habitan los cuatro extremos del mundo.

El abecedario formal: el dibujo muestra en el diagrama la situación arquitectónica ideal: un ming-tang, patio luminoso, se encuentra rodeado como por los brazos de un sillón.

La ilustración muestra un compás geomántico, es decir, una representación compacta de la cosmovisión china. El compás relaciona los distintos aspectos del tiempo y el espacio, los fenómenos internos y psíquicos con los externos y naturales.

El dibujo, un detalle de un antiguo manual chino de geomancia, describe, de forma ejemplar y según los puntos de vista de la geomancia, un lugar apropiado para situar un edificio o una ciudad en un paisaje montañoso o fluvial.

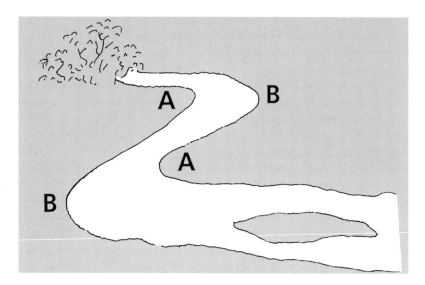

El lugar favorable (A) o desfavorable (B) para levantar una ciudad o un jardín en la ribera de un río sinuoso. El Sakutei-ki, el libro clásico japonés sobre los jardines, comenta al respecto: «Considera un lugar rodeado por el meandro de un río como el vientre del dragón. Feliz aquel que construya su casa sobre el vientre del dragón. El que construye su casa sobre la espalda del dragón está desafiando al destino...»

Derecha:
Correlaciones inductivas entre las cinco fases evolutivas y los cuatro puntos cardinales, las cuatro estaciones, los cuatro animales celestiales mitológicos, los cinco órganos masivos del cuerpo y las cinco emociones. La ilustración muestra un extracto de un antiguo manual de geomancia.

del perfil de una montaña o un río se consideran el vientre y la espalda del dragon, su Yin y Yang, el principio del dragón, pujante y favorable o descendiente y funesto. Como ya se ha mencionado, el término de origen chino incorporado en el Japón para designar el «paisaje», *san-sui*, significa literalmente «montaña-agua». De ahí que nuestra palabra «paisaje» resulte insuficiente para transmitir la dicotomía conceptual y visual de la palabra china. *San-sui* expresa la polaridad complementaria entre la montaña y el agua, y es uno de los conceptos metafísicos básicos en la jardinería japonesa sino y su hermana de sangre, la pintura.

Según se dice, la situación geomántica, o mejor dicho topomántica, de Heian-kyo se escogió teniendo en cuenta los cuatro animales mitológicos que habitan las cuatro «esquinas» del cielo. Como todos los fenómenos celestes, estos animales también se manifiestan en la tierra. Esta creencia se puede documentar ya en los escritos de la dinastía Han. Según esta visión mitológica, el «dragón azul» vive en un arroyo de montaña en un lugar lejano del este, la región de la mañana y el renacer primaveral. En las montañas del oeste, la región de la tarde y el ocaso otoñal, vive el «tigre blanco» (también aquí podemos reconocer el principio del Yin y el Yang que lo envuelve todo: la mañana y la primavera representan el nacimiento, el desarrollo y el progreso, es decir, el Yang. La tarde y el otoño son símbolos del ocaso, el Yin). Siguiendo esta mitología, la «tortuga negra» vive en las montañas del norte, la dirección que la mitología china asocia con la medianoche y el invierno. El «pájaro rojo» vive en las llanuras del sur, que en la mitología china representa el mediodía y el verano.

La creencia en cuatro animales mitológicos se basa en el antiguo sistema chino de las correlaciones inductivas, en chino *wu-xing* y en japonés *go-gyo*. Términos que durante mucho tiempo fueron traducidos con la expresión «cinco elementos»; hace todavía poco que se denominan «cinco actividades» o «cinco fases evolutivas». Esta cosmovisión existe desde el siglo IV antes de Cristo y, junto con el principio del Yin y el Yang, tuvo que ser el modelo más activo en la interpretación místico-religiosa del mundo en China. Aquí el mundo no se concibe como una relación entre parejas de contrarios, sino como una evolución desarrollada en cinco fases. Estas fases se representaban con los ideogramas de la tierra, la madera, el fuego, el metal y el agua. Tal como se aprecia en el grabado de la pág. 37, la tierra se encuentra en el centro y en los cuatro segmentos del círculo, correspondientes a los cuatro puntos cardinales, se sitúan la madera (este), el metal (oeste), el agua (norte) y el fuego (sur). A cada uno de estos elementos del *go-gyo* se le atribuye un color: amarillo para la tierra, verde para la madera, blanco para el metal, negro para el agua y rojo para el fuego. En el esquema se aprecia que cada una de estas divisiones se corresponde en los círculos concéntricos exteriores con determinados órganos del cuerpo, emociones, estaciones del año, horas del día y los cuatro animales mitológicos. No hay nada bajo el sol que no haya sido incluído en este esquema, tanto los cinco planetas como las especies animales fundamentales, e incluso el ámbito interno del hombre, sus emociones y sus órganos. Todo tiene su lugar en este sistema de las transformaciones simbólicas. Existen cinco sabores, cinco voces, cinco órganos masivos que a su vez se corresponden con cinco emociones, la ira, la alegría, la tristeza, el temor y la contemplación.

No es una casualidad que en este sistema aparezcan juntos lo interior y lo exterior, el mundo externo y el mundo interno, los puntos cardinales y las emociones. Según la mitología china, estos mundos no se pueden concebir por separado. Se da por sentado la comunicación entre el mundo interno y el mundo externo. La importancia que esta ideología tuvo en el Japón se reconoce en el hecho de que las farmacias chinas, existentes todavía hoy en muchos barrios en el Japón, siempre tienen colgado a la vista este esquema de cinco fases. Otro indicio de su alcance se podría ver en la ciudad de Heian-kyo y sus jardines, que presentan la forma de un mandala chino de este tipo, es decir, que se deberían interpretar como miniaturas del universo.

En Japón existe una antigua leyenda según la cual los espíritus malignos simpre vienen del noreste, del *ki-mon*, la puerta del diablo. Tras esta creencia se oculta posiblemente una experiencia concreta de la naturaleza: en China y Japón los rigurosos vientos invernales vienen del noreste. Además, a lo largo de su historia, China siempre se mantuvo alerta ante los posibles ataques procedentes del noreste, y en Japón, el clan Yamato fue el primero en pacificar las tribus del noreste de las islas japonesas después de largas luchas. Este «peligro» que proviene del noreste fue conjurado en Heian-kyo a través del monte Hiei, el pico más alto de la formación montañosa que envuelve Heian-kyo como el respaldo y los brazos de un sillón. El *Hiei* se eleva exactamente en el noreste de la antigua capital de Japón.

Los jardines de la época Heian aparecen en tres lugares característicos. En primer lugar los jardines integrados en los palacios del emperador y la aristocracia japonesa, adaptados por completo a las exigencias de la arquitectura palaciega. Despúes tenemos los jardines a las afueras de la ciudad, que sirven de intermediarios entre la ciudad y la naturaleza salvaje que la rodea. Y por último, los jardines en los templos del budismo Amida.

El jardín como parte de los palacios urbanos

Nada se ha conservado de los antiguos edificios del siglo VIII pertenecientes al *dai-dairi*, «el gran interior del interior», como se llamaba la ciudad palaciega en japonés. También el antiguo *dairi*, «lo más interno de lo interior», como se llamaban las viviendas del palacio imperial, ha sido víctima de los estragos del tiempo. Lo que sí se ha conservado es una pequeña parte del *shinsen-en*, el «Parque de las fuentes divinas», en el sur del palacio Nijo. De acuerdo con el modelo chino, se trataba de un jardín de recreo para el emperador y se extendía sobre una superficie de 240 metros por 480. Según las fuentes históricas y literarias, allí se celebraban las fiestas cortesanas. Era el sitio donde tenían lugar los concursos de poesía, los banquetes y los festivos paseos en barca en el gran lago artificial. En este jardín se celebraba también una fiesta muy apreciada por los cortesanos, el *kyokusui no en*, la «Fiesta del arroyo sinuoso»: Los cortesanos y las damas elegantes se reunían con motivo de esta fiesta a orillas del arroyo del jardín para componer versos. Dejaban que la corriente arrastrara un cuenco con vino de arroz hasta un punto determinado. Antes de que el cuenco llegara al punto fijado, cada uno tenía que haber terminado su poema.

El *gosho*, en sentido literal «el lugar prominente», designa la forma rigurosa de la arquitectura palaciega china: los edificios se ordenan creando una serie de patios interiores a lo largo de un eje central. En la época Heian esta forma no sólo fue utilizada en los edificios de palacio, sino

Antigua reconstrucción hipotética de un palacio del estilo shinden de la época Heian. Esta reproducción es la primera reconstrucción de este tipo que Sawada Nadari, un historiador de la arquitectura de la época Edo tardía, publicó en 1842 en el importante libro Kaoku zakko.

en la construcción de los templos budistas y los relicarios sintoístas, en particular el relicario de los antepasados imperiales en Ise.

En el centro de la residencia imperial se encuentra desde la época Heian el *shishin-den*, literalmente, «la sala púrpura del emperador». El actual *shishin-den* en Kioto es una reproducción fiel al original de un edificio de la época Edo tardía. La forma del edificio data del siglo XIX. El palacio recupera la conocida «forma de sillón». Las galerías parten de los dos lados del edificio principal y rodean un luminoso patio interior, el «jardín meridional», en japonés *nan-tei*. Este jardín consta de una superficie sin adornos, completamente vacía y cubierta de arena blanca. Tan sólo un pequeño mandarino y un pequeño ciruelo flanquean la escalera del edificio principal. Pero estos arbolitos apenas se pueden considerar como parte del jardín, ya que se encuentran en una situación completamente simétrica con relación al edificio principal y están separados del jardín por una valla.

Lo peculiar de la superficie de arena blanca del jardín meridional situado delante del *shishin-den*, se explica en relación con la primitiva doble función del emperador. No sólo era el soberano político de la nación japonesa, sino también el sumo sacerdote. El jardín meridional tenía, en principio, una finalidad religiosa. Allí se celebraba regularmente una pintoresca danza ceremonial que Japón tomó de la China de la dinastía Tang, cuyo objetivo era llamar a los dioses. Por eso el jardín meridional siempre estaba blanco y puro.

Las dos puertas laterales que conducen al jardín meridional se llaman *nikkamon* y *gekkamon*, Puerta de la flor del sol y Puerta de la flor de la luna. La primera se encuentra en el centro de la galería occidental y la segunda en el centro de la galería oriental, una circunstancia que nos recuerda una vez más la orientación cosmológica del palacio según el modelo chino. Muchas ciudades chinas cuentan con templos del sol y de la luna en las puertas oriental y occidental. Al igual que en China, el palacio imperial japonés debía ser una reproducción del cosmos.

Contrastando fuertemente con el sencillo jardín meridional, aparecen los pequeños jardines de los patios interiores, llamados *tsubo-niwa*, que se abren entre los edificios ordenados ortogonalmente al norte del *shishin-den*. La configuración de estos pequeños jardines es más alegre y libre que el austero jardín meridional, en ellos crecen plantas y muchos de ellos están dedicados a una planta o un tipo de plantas determinado.

Delante del mirador occidental del *seiryoden*, la parte del palacio dedicada a los banquetes oficiales, se abre un jardín llano por completo y casi vacío, adornado tan sólo por unas pocas plantas sencillas. Para el experto en jardines Hayakawa es el mejor ejemplo de la elegancia y la paz de la época Heian. Para mí representa algo más fundamental, el ejemplo de lo que he calificado al principio como el motivo constante en el modo japonés de percibir la belleza: la contraposición entre la forma natural, a menudo sólo aludida sutilmente, y las claras formas rectangulares de la arquitectura japonesa, en este caso la celosía de madera.

Otra especialista en la materia, Loraine Kuck, comenta en relación con la sencilla belleza de los *tsubo-niwa*, los pequeños jardines entre las celosías de los edificios al norte del *shishin-den*, que «las damas nobles cuyas habitaciones se abrían a uno de estos pequeños jardines, solían recibir el nombre de la flor a la que estaba dedicado el jardín delante de su ventana. Esta flor también solía ser el motivo decorativo central en los aposentos de la dama, adornan-

do las paredes o las cortinas en bordados o dibujos». Kuck alude en especial a la dama citada en la famosa Historia del príncipe Genji, Fuji-tsubo, la «señorita de las glicinas».[22]

Los jardines de los palacios de la aristocracia Heian son similares a los del palacio imperial, en tanto en cuanto intentan imitar la moda china. Pero en un punto se diferencian sin excepción del palacio imperial: el jardín meridional de los palacios nobles no consta únicamente de una superficie vacía cubierta de arena sino que, en su mayoría, son jardines suntuosos cuyo centro está formado por un gran lago con varias islas. Las islas se comunicaban con el jardín principal mediante puentes en forma de arco.

Este estilo característico de la época Heian temprana se llama, de acuerdo con el edificio principal de estos palacios, estilo shinden. Su rasgo principal son los puentes en arco como elemento de unión entre la casa y el jardín. Por regla general, los historiadores creen que los palacios nobles de la época seguían una estructura simétrica y ocupaban una superficie de unos 120 metros cuadrados. Dos *suiwata-dono*, galerías abiertas, partían de cada lado del edificio principal *(shinden)* y conducían a los dos *tainoya*, los edificios simétricos. Galerías cubiertas conducían desde aquí hasta un *tsuri-dono*, un pabellón del pescador, y un *izumi-dono*, un pabellón de la fuente, que se encontraban a orillas del lago. A medio camino hacia los pabellones se abrían puertas en ambas galerías, las llamadas *chumon*, puertas centrales que daban acceso al patio interior. Los palacios aristocráticos del estilo shinden no contaban –a diferencia del palacio imperial– con una puerta sur oficial en la mitad del edificio.

El investigador japonés Sawada Nadari, historiador de la arquitectura de la época Edo tardía, ha sido el primero en intentar llevar a cabo una reconstrucción hipotética del palacio aristocrático de estilo shinden en la época Heian temprana. Yo me he tomado la libertad de reproducir en sentido inverso ese dibujo, publicado en 1842 en su obra *Kaoku zakko*, porque así concuerda mejor con la descripción del arroyo sinuoso en el jardín que aparece en el *Sakutei-ki*. El *Sakutei-ki* data del siglo XI y es el más antiguo documento conservado sobre el arte de la jardinería. En él se narra lo siguiente en una hermosa y clara descripción de los jardines de la época Heian: «Para asegurar la buena suerte hay que traer el agua desde el este, conducirla hasta el jardín pasando por debajo de la casa y hacerla salir del mismo por el suroeste. Porque de este modo el agua del dragón azul arrastrará consigo todos los malos espíritus de la casa y el jardín, llevándoselos al tigre blanco». Como ya se ha dicho, no sólo se ordenaron ciudades enteras siguiendo los criterios geománticos, sino también los jardines y palacios de las ciudades. La construcción de un palacio debía ser un reflejo del universo a pequeña escala. El lenguaje del *Sakutei-ki* está lleno de alusiones a los animales celestes y su significado en la construcción de la casa. En otro pasaje se dice: «El arroyo del jardín debe fluir desde el este en la zona del shinden, después se debe guiar hacia el sur y conducirlo fuera del jardín por el oeste. Incluso aunque haya que traer el agua desde el norte, se la debería conducir en dirección este y después dejarla salir por el suroeste. En una antigua sutra se dice que un lugar rodeado por el meandro de un río se debería interpretar como el vientre del dragón. Dichoso aquel que construya su casa sobre el vientre del dragón. Pero el que construya su casa sobre la espalda del dragón, estará desafiando al destino».

La arquitectura palaciega de la época Heian temprana, altamente formalizada y simétrica, fue sustituida en la

Abajo:
Reconstrucción de dos palacios nobles de la
época Heian tardía; en ellos comienza a impo-
nerse una inclinación por lo asimétrico y lo capri-
choso.
A la izquierda, un dibujo del Tosanjo-den.
A la derecha, un dibujo del Hojuji-den.
(Según O. Mori, 1945, y K. Nishi, y K. Hozumi,
1983)

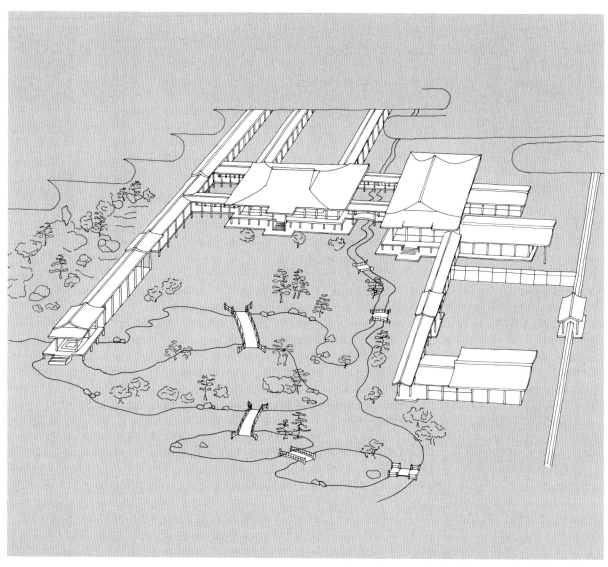

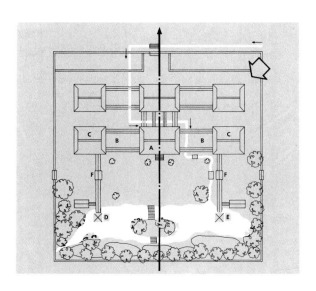

Reconstrucción de un complejo palaciego con jardín del estilo shinden, cuya inclinación por la simetría es una característica de la época Heian temprana.
A: pabellón principal, shinden, que dió nombre al estilo. B: galerías de comunicación con los pabellones. C: las «casas simétricas». D: el pabellón del pescador. E: el pabellón de la primavera. F: puertas oriental y occidental de acceso al patio interior.
(Según K. Saito, 1966)

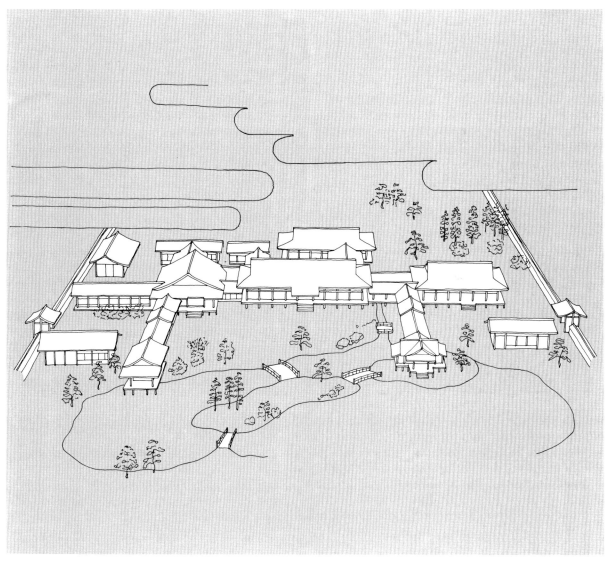

época tardía por un estilo más libre y caprichoso con una afición por la asimetría. Sólo podemos hacer suposiciones sobre los motivos que llevaron a este cambio de estilo. Quizá sea la manifestación del respeto a las formas naturales, quizá también la expresión del desagrado típico del japonés por la simetría. En el nuevo estilo de la época Heian tardía, los edificios del palacio ya no se levantan unos junto a otros, aislados y autárquicos a un tiempo, sino que se van integrando en una configuración fluida. Japón entra con este estilo en la fase de asimilación completa de los modelos chinos que el profesor Itoh Teiji calificó una vez como fase de las «espléndidas interpretaciones erróneas».[23]

Basándose en un análisis cuidadoso de las pinturas de los antiguos rollos, los historiadores han podido reconstruir con bastante exactitud la arquitectura del *Tosanjo-den*, el palacio más famoso del clan Fujiwara. Los miembros del clan levantaron después suntuosos palacios de magnitudes imponentes. Uno de estos palacios, el Hojuji, construido por Fujiwara no Tanemitsu (942–992), fue utilizado por el emperador Goshirakawa como lugar de retiro.

El clan Fujiwara, antigua familia noble japonesa, mantuvo extraoficialmente el poder desde mediados del siglo IX hasta finales del siglo XI. Durante este tiempo los miembros del clan Fujiwara ocuparon los puestos de regentes imperiales e importantes ministros. Además supieron asegurar su influencia en la corte mediante una acertada política matrimonial. Todos los emperadores japoneses de la época fueron hijos de una madre Fujiwara. Puesto que además fueron grandes mecenas, seguimos llamando época Fujiwara a los dos siglos de su hegemonía.

Durante esta época todavía se puede reconocer la «forma de sillón» como marco arquitectónico de los palacios, aunque éstos se construyeran de una forma más asimé-trica que en la época Heian temprana. Ésto también es válido para la jardinería, en la que volvemos a encontrar el primer gran prototipo del jardín japonés: el lago con una o varias islas. El arroyo que alimenta el lago también atraviesa el jardín según las antiguas reglas de la geomancia. El jardín del *Tosanjo-den* tenía tres islas y un pabellón del pescador en el oeste. El jardín del *Hojuji-den*, que sirvió de retiro al emperador, contaba con dos islas y dos pabellones, uno a cada extremo de las galerías de comunicación. El pabellón este tenía una planta cruciforme, inusual en la historia de la arquitectura japonesa, y además no se levantaba en la orilla del lago sino en una de las islas. De este modo se rompió la clara simetría del estilo shinden.

A pesar de todo, los estilos de las épocas Fujiwara y Heian presentan elementos comunes. Ambos conocen la superficie de arena blanca casi vacía en el jardín meridional situado delante del edificio principal del palacio imperial, el *shinden*. En ambos estilos, el arroyo fluye del este hacia el oeste y es conducido a través de un jardín con pequeñas elevaciones de terreno. Podemos imaginar a la elegante sociedad reunida a lo largo del arroyo sinuoso con motivo de la famosa *kyokusui no en*, la «Fiesta del arroyo sinuoso». Una de las islas solía disponer de un *gaku-ya*, un escenario para los músicos y los bailarines en estos actos festivos.

El jardín del pabellón a las afueras de la ciudad

A partir de la época Nara, los nobles adquirieron la costumbre de construir villas con jardines en las afueras de la capital. La rígida retícula de la ciudad no les ponía trabas en esta zona y posiblemente proyectaron sus casas y jardines con una mayor sensibilidad para las condiciones naturales del terreno. A partir de la época Heian temprana, estas propiedades recibieron el nombre de *rikyu*, «palacios retirados», o *sento-gosho*, «palacios para emperadores retirados».

No quedan muchos restos de estos jardines y palacios en las afueras de la ciudad. Uno de los monumentos conservados de esta época es el *osawa no ike*, el «gran lago pantanoso» que el emperador Saga (809–823) mandó construir en el noroeste de la capital Heian-kyo. Este lago, para el cual el emperador hizo cortar la corriente de un río, tiene una superficie aproximada de veinte mil metros cuadrados. Era la atracción principal del *Saga-in*, el «palacio retirado» del emperador. El *Saga-in* sirvió a su constructor, el emperador Saga, como palacio principal tras su abdicación. En el año 876 fue transformado en un templo budista de la secta Shingon. Hoy en día todavía se puede visitar el templo llamado *Daikaku-ji*.

El conjunto del *Saga-in* tuvo que ofrecer una vista magnífica. Las elegantes formas ortogonales de los pabellones se reflejaban en el gran lago del jardín, poniendo un elegante contrapunto al paisaje suavemente ondulado del entorno. Los japoneses siguen acudiendo hoy al lago Osawa para contemplar la luna en las tibias tardes de otoño. El terreno al norte del lago se eleva suavemente configurando un paisaje montañoso, mientras que los llanos campos de arroz lo rodean por el este, el oeste y el sur. En la mitad norte del mismo se encuentra una isla relativamente grande, la Isla Benten; otra isla más pequeña en la mitad este lleva el hermoso nombre de *Kiku-shima*, «Isla de los crisantemos». Muchos poetas han alabado el encanto de este parque. Yo sólo quiero citar un poema de la época Heian extraído del *Kokin-shu*, una antología poética de este tiempo:

hito moto ga	Creí que aquí sólo podía
omoishi kiku wo	crecer un crisantemo.
osawa no	¿Quién plantó entonces
ike no soko	los otros en lo profundo
dare ga uheken	del lago Osawa?

El lago Osawa ha mantenido casi sin alteraciones su forma y tamaño a lo largo de los siglos, a pesar de que durante la época Meiji sirvió principalmente para el riego de los campos de arroz del entorno y con este fin se construyó un embalse más alto que permitía aumentar el nivel del agua. Fue entonces cuando la corriente arrastró las rocas de la orilla. Hace algún tiempo, Shigemori Mirei encontró durante unas excavaciones unas antiguas composiciones rocosas en el norte del lago que, en su opinión, procedían de una cascada artificial. [24]

Esta cascada hubo de ser una atracción especial para la época, ya que se la ensalza en el *Hyakunin isshu*:

taki no oto wa	Aunque la cascada
taete hisashiku	ha cesado en su murmullo,
nari nuredo	todavía podemos escuchar
nakoso nakarete	el constante susurro
nao kikoe kere	de su nombre.

En la zona del templo Kanju-ji, al este de Kioto, encontramos otro monumento de la época Fujiwara: en este caso se trata de los restos del antiguo parque del palacio de Fujiwara Miyamichi, situado en las afueras de la ciudad. Este parque también es un jardín con lago y (posiblemente) tenía cinco islas que nos recuerdan uno de los temas centrales de la jardinería japonesa: las Islas de los bienaventurados.

Una roca aislada como isla estilizada en un
rincón oculto del lago Osawa. En este
caso se trata de un lejano eco del vocabulario
arquitectónico de la época Heian.

El lago Hirosawa, que mandó crear el abad Hirosawa en el siglo X a modo de jardín y depósito de agua. Reproducido según un grabado del siglo XVIII. El lago sigue siendo en la actualidad una atracción turística en la época en que florecen los cerezos.

El jardín en los santuarios del budismo Amida

Los templos urbanos de las épocas Asuka y Nara contaban con grandes patios interiores abiertos donde se celebraban ceremonias religiosas. La arquitectura de los primitivos templos budistas seguía en sus principales elementos el modelo de los palacios chinos. Al igual que éstos, los distintos edificios, pagodas y galerías se ordenaban simétricamente a lo largo de un eje principal. Sus patios interiores se ampliaron con jardines sólo en casos excepcionales.

Esta situación no cambiaría hasta medidados del siglo XI, cuando los príncipes Fujiwara comenzaron construir nuevos templos Amida en la ciudad de Heian-kyo y sus alrededores. Todos estos templos tenían jardines con lagos e islas, por tanto se deben incluir dentro de nuestro primer prototipo. Estos templos y jardines eran muy similares a los palacios del estilo shinden de la época Heian temprana.

Para entender la arquitectura religiosa de las épocas Heian y Fujiwara es necesario estudiar un poco el espíritu que animaba la época. Por lo menos entre la nobleza predominaba la sensación de la caducidad del mundo, *mujokan* en japonés. Se era consciente de que todo en el mundo es efímero y de que la vida es un sueño. Ivan Morris, especialista en temas japoneses, cita algunos ejemplos literarios de la época Heian para trasmitirnos una impresión de ese espíritu: en un poema de la dama Akashi dedicado al príncipe Genji se describe la vida como «la noche de los sueños interminables», *akenu yo no yume*. Otro ejemplo es el título del último tomo de la famosa obra de Murasaki, la «Historia del príncipe Genji», *Yume no ukehashi*, es decir, «el puente flotante de los sueños» que el hombre atraviesa cuando pasa de una vida a la siguiente.[25]

Tras esta sensación de la caducidad del mundo se escondía la creencia generalizada en que la historia había entrado en su última fase, en la «época de la ley final». Según el budismo Amida, la «época de la ley final», *mappo*, estaba precedida por la «época de la ley verdadera», *shobo*, que terminó quinientos años después de la muerte de Buda. Según esta creencia, entre la «época de la ley verdadera» y la «época de la ley final», que ya había comenzado, se extendía la «época del la ley falsa» que también duró quinientos años. Y, puesto que la «época de la ley final» ya había comenzado, sólo se podía esperar la salvación a través de la contemplación de Buda o pronunciando el nombre del buda Amida.

El presentimiento sombrío en esta «era decadente» de que el fin del mundo estaba a punto de llegar, es un fenómeno inevitable en una sociedad enriquecida, una sociedad con mucho tiempo libre que intenta dominar el problema del tiempo a través de actividades culturales de todo tipo. *Mujokan*, el sentimiento de vanidad latente en todas las aspiraciones humanas, es la idea que se esconde tras la pompa mundana, los concursos de poesía, los banquetes, los ritos semirreligiosos y las procesiones, pero también tras las carreras de caballos, las peleas de gallos y los torneos de tiro al arco. La religión verdadera, esto es, la incertidumbre sobre nuestra existencia, es el mayor lujo posible. El hombre descubre sus necesidades espirituales una vez que ha satisfecho sus necesidades materiales y estéticas.

Paradójicamente, el aburrimiento de la propia existencia y la desesperación religiosa no condujeron en la época Heian a la inactividad completa, sino que trajeron consigo un periodo de gran apogeo cultural. En este periodo decadente dominado por la creencia en el fin del mundo, se

El idílico lago Osawa, en las afueras de la actual Kioto, según un grabado del siglo XVIII.

escribieron algunos de los poemas y novelas más importantes de la literatura japonesa y se crearon algunos de los jardines y esculturas más hermosos.

Los jardines de los templos de la época Fujiwara se concibieron como representaciones de la creencia budista en un país puro situado en el oeste. En cierto sentido eran mandalas tridimensionales compuestos por templos y parques. Al igual que los mandalas pintados, que como ya dijimos se inspiraban sobre todo en los palacios chinos, estos templos y parques seguían modelos más bien terrenales: la elegante arquitectura cortesana de la época Heian temprana con su gusto por la simetría y la «forma de sillón» constante en todo el complejo, con su jardín meridional rodeado por galerías y compuesto por un lago con una o varias islas. Así pues, en los templos budistas descubrimos una vez más el primer prototipo de la jardinería japonesa. Si bien aquí servía menos para las fiestas cortesanas que para los fines religiosos. En los jardines cortesanos del estilo shinden, esta dimensión religiosa había sido relegada a un segundo término.

Ninguno de estos templos primitivos del budismo Amida se ha conservado intacto en el actual Kioto. Aunque a partir de la reconstrucción del templo Hojo-ji, podemos suponer que los santuarios budistas se orientaban hacia el norte igual que los palacios de la aristocracia japonesa. El templo Hojo-ji fue construido por Fujiwara no Michinaga en el año 1019. Según una antigua leyenda, Fujiwara no Michinaga murió también en este templo cuando recitaba el nombre de Amida. El templo Hojo-ji es inmenso, tiene una planta de 240 m de lado. La novedad arquitectónica del mismo es su tamaño y la posición del pabellón de Amida de once naves situado en el oeste del patio principal, donde se alinean nueve esculturas de Amida de casi cinco

metros de altura. También es nuevo el jardín con lago y una isla central que acoge un escenario para ceremonias religiosas y conciertos.

En el Byodo-in, el Templo de la igualdad y la justicia, todavía podemos adivinar un resto del lujo primitivo de los templos de la época Heian. Fue construido por Fujiwara no Yorimichi en el año 1052 a orillas del río Uji, en las afueras de la actual Kioto. El famoso Pabellón del fénix, *Hoo-do*, se convirtió en centro absoluto de la zona religiosa. En el Pabellón del fénix se encontraba una gran escultura de Buda mirando hacia el este por motivos cosmológicos, de tal forma que el templo mantenía una orientación este-oeste. Por las fuentes históricas sabemos que los creyentes acudían a adorar al dios a una plataforma en medio del lago. Desde allí miraban hacia el oeste a la escultura del buda Amida, la dirección donde, según la cosmología del budismo Amida, se encuentra el «País puro del oeste». El propio lago fue reformado varias veces a lo largo de los siglos, pero todavía hoy sigue cumpliendo su función original: sobre la superficie del agua se refleja la elegante arquitectura simétrica del templo y el jardín que debía sugerir a los hombres la imagen del paraíso en el oeste.

Una rama de la familia Fujiwara asentada en el norte construyó, a partir de finales del siglo XI, toda una serie de templos y jardines paradisíacos de una extraordinaria belleza. La mayoría de los mismos se encontraban en la pequeña ciudad de Hiraizumi en el norte de Honshu, la isla principal japonesa. Su disposición reproduce también la gran fórmula de los jardines de la época Heian: la «forma de sillón». Todos los jardines se incluyen en el primer prototipo de jardín con lago e isla. Muy poco se ha conservado de los jardines en sí. Tan sólo en el templo Motsu-ji del príncipe Fujiwara Motohira (fallecido en el año 1157) po-

La relación de la época Heian con la naturaleza y el arte de la jardinería

Puesto que apenas se conserva nada de los jardines de la época Heian, hemos de confiar en el testimonio de las fuentes históricas si queremos hablar sobre la relación del hombre de esta época con la naturaleza y la jardinería. Yo me voy a limitar a dos fuentes, una que se ocupa de la función social de los jardines palaciegos y otra que nos ofrece una buena imagen sobre la concepción y disposición de los jardines.

Genji Monogatari: La historia del príncipe Genji

Kisetsu: de la vida en armonía con las estaciones del año

La historia del príncipe Genji es una de las obras cumbre de la prosa lírica japonesa. Una dama de la corte llamada Murasaki Shikibu la escribió en torno al año 1000. La autora pasará a la historia a través de la heroína de la historia, que lleva su nombre. Su obra no es sólo una rica narración sobre la elegancia y el lujo de la sociedad cortesana, sino que además describe de una forma asombrosamente detallada y densa los jardines cortesanos y cuenta como transcurría la vida (en ocasiones sucesos amorosos) en estos jardines.

Los historiadores del arte japoneses han designado el jardín de la época Heian con el término abreviado *chisen shuyu teien*, que sólo se puede transcribir con la monstruosidad «jardín con lago y fuente para pasear en barca». Es posible ilustrar el significado de la misma a partir de un pasaje del capítulo veinticuatro de la «Historia del

demos reconocer los restos de la disposición originaria del lago y la isla. Las atrevidas composiciones de rocas, situadas en la orilla del lago, son unas de las mejor conservadas de la época.

Desde el principio hasta el final de la fase de los grandes templos fundados por la familia Fujiwara, los jardines y templos formaron siempre una unidad integral. Pero hubo algo que cambió en esta época: el jardín del templo Hojo-ji, que marca el comienzo de la gran época constructiva de los Fujiwara, está sometido por completo al dictado de la arquitectura del templo. Mientras que la arquitectura del templo Motsu-ji, que marca el final de esta gran era, sigue por completo los dictados del jardín que envuelve, e incluso devora, el ángulo recto de la arquitectura.

príncipe Genji»²⁶. Murasaki describe allí una excursión en barca por su jardín de primavera:

«Y así fue como ordenó traer una de las nuevas barcas e hizo que la ocuparan algunas de sus damas más jóvenes y emprendedoras. Era posible recorrer en barca todo el trayecto hasta el jardín de primavera, remando primero a lo largo del lago meridional y después a través de un estrecho canal hasta un pequeño monte que parecía cerrar el paso. Pero en realidad existía un canal a su alrededor que condujo al grupo hasta el pabellón del pescador. Allí pasaron a recoger a las damas de Murasaki, que esperaban tal como se había acordado.

La barcas tenían en la proa una cabeza de dragón tallada y en la popa una imagen de un águila pescadora –de acuerdo por completo con el estilo chino–. Los jóvenes de la tripulación iban vestidos al modo chino y llevaban los cabellos atados en la nuca con cintas de colores. El lago parecía infinito cuando atravesaron el centro, y los ocupantes del barco, para quienes esta experiencia era algo nuevo y excitante, apenas podían creer que no se estuvieran dirigiendo hacia un país desconocido. Pero los remeros los condujeron finalmente al borde de la orilla rocosa de la travesía entre las dos grandes islas y, al mirar detenidamente, el grupo descubrió maravillado que la forma de cada pequeño saliente y cada roca había sido concebida tan cuidadosamente como si un pintor hubiera dibujado el perfil con un pincel. Aquí y allá asomaban sobre la niebla las ramas altas de un jardín frutal, tan cargadas de flores que parecía como si hubieran extendido una alfombra multicolor en medio del aire. A lo lejos todavía podían distinguir las alas de la residencia de Murasaki, que destacaban por el verde más intenso de las ramas de los sauces que barrían sus patios, y por el resplandor de los frutales

en flor que, incluso desde aquella distancia, parecían esparcir su aroma entre las islas y las rocas. En el mundo exterior, las flores de los cerezos ya casi se habían marchitado, pero éstas parecían querer burlarse del paso del tiempo. Una glicina trepaba por el palacio a lo largo de las galerías cubiertas y los pórticos, todavía estaba llena de flores sin que ninguna de ellas hubiera perdido su frescor; mientras que, allí donde se habían amarrado las barcas, la querría de montaña derramaba sus flores amarillas sobre las rocas en una cascada de color que se reflejaba en el agua del lago. Pájaros acuáticos de distintas especies se arremolinaban entre las barcas o revoloteaban con ramitas o tallos de flores en el pico, y parejas de pájaros enamorados nadaban de acá para allá mientras el reflejo de sus delicadas líneas se acomodaba al dibujo rizado de las olas. Aquí pasaron todo el día como los personajes en una pintura de un país de cuento, mirando maravillados y envidiando la suerte del leñador en cuya hacha comenzaban a brotar algunas hojas verdes.»

Entonces comenzaron a escribir poema tras poema para captar la belleza del momento. Una vez que el grupo volvió al palacio, los cortesanos y sus damas celebraron una fiesta con música y poemas hasta bien entrada la noche. Más adelante se dice: «Al llegar la mañana, la dama Aki-konomu escuchaba con disgusto los gorgojeos matutinos de los pájaros, porque temía que el jardín de primavera de Murasaki gustara más que su jardín de otoño.»

Los jardines de la época Heian eran elegantes y multicolores y las fiestas que la nobleza celebraba allí eran fiestas de la alegría y el juego. En ellas manifestaban su amor a la naturaleza con recitales musicales y poéticos. La descripción de Murasaki de la fiesta está llena de alusiones a las peculiaridades de la estación del año a la que se había

Jardín del templo Makaya-ji en la prefectura de Shizuoka (época Heian tardía o época Kamakura temprana).

El Pabellón del fénix (Hoo-do), en el templo Byodo-in en Uji (cerca de Kioto) se refleja en el lago del loto.

dedicado el jardín. La fascinación por las estaciones se mantiene como una constante en todos los diarios, novelas, poemas y pinturas de la época Heian. Cualquiera que haya vivido en Japón sabe que la primavera y el otoño son las estaciones preferidas por los japoneses. La primavera por ser la estación en la que la naturaleza despierta a la nueva vida con una diversidad fresca y multicolor, y el otoño porque sus colores intensos, el amarillo vivo, el marrón coñac y el rojo herrumbre, evocan un sentimiento de melancolía.

El príncipe Genji habla a su dama preferida Akikonomu, literalmente «amante del otoño»: «Y cuando haya arreglado todas estas importantes cuestiones familiares, espero tener un poco de tiempo para aquéllo que realmente me proporciona alegría: las flores, las hojas otoñales, el cielo, todos los cambios que se producen de un día para otro y los prodigios que ocurren en un sólo año... Naturalmente que es inútil discutir sobre ésto, como ha ocurrido tantas veces. Es una cuestión de carácter. Cada persona nace en su estación y por eso es su preferida. Deberías estar segura de que nadie ha conseguido convencer a otros en estas cuestiones. La primavera, con su ‹bordado de flores›, tuvo siempre las mayores alabanzas en China; pero aquí, por el contrario, parece que la melancolía soñadora del otoño es la que ha conmovido más profundamente a nuestros poetas. Por lo que a mí respecta, me resulta imposible decidirme. Pues, por mucho que me deleiten la música de los pájaros y la belleza de las flores, debo reconocer que no me suelo acordar en qué estación he visto una flor concreta o he oído este o aquel pájaro. Pero yo tengo la culpa porque, incluso en el ámbito íntimo de mi morada, bien podía haber aprendido cuales son las imágenes y los sonidos propios de cada estación. Ya que, como puedes ver,

no sólo he velado por la primavera con numerosos árboles en flor, sino que en mi jardín también he plantado muchas especies otoñales y arbustos que fueron traídos del país originario incluso hasta con las raíces, tal como allí crecían. Es más, llegué a ordenar que trajeran enjambres completos de insectos que prodigaban su canto en la soledad de las veredas y las praderas. Hice todo ésto para poder disfrutarlo en compañía de mis amigos, entre los que te encuentras tú también. Por favor, dime entonces cual es la estación que goza de tu predilección».

He citado los pasajes sobre el jardín de primavera de Murasaki y el jardín de otoño de Akikonomu porque a partir de ellos se desprenden dos hechos importantes: en primer lugar, que el príncipe Genji ve a sus damas como personificaciones de sus jardines preferidos y en segundo lugar, que ha proyectado su palacio como un mandala. Los cuatro jardines de sus cuatro damas preferidas se orientan de acuerdo con la dirección de «su» estación:

«El príncipe Genji mandó levantar una colina hacia el sudeste y en su ladera hizo plantar numerosos árboles de floración temprana. La orilla del lago trazaba una curva especialmente hermosa al pie de la colina y en primer término, justo debajo de las ventanas, plantó hileras de cincoenramas, ciruelos, cerezos, glicinas, querias, azaleas y otras plantas semejantes que despliegan su máxima belleza en la primavera; lo hizo porque sabía que Murasaki adoraba la primavera. Mientras que en otros puntos, allí donde no estorbaban a la idea principal de su plan, introdujo con gran acierto plantas otoñales.

El jardín de Akikonomu [situado en dirección sudoeste] estaba lleno de aquellos árboles que adquieren sus tonos más intensos en el otoño. Se limpió el riachuelo por encima de la cascada y se aumentó su profundidad en un tre-

Atrevidas composiciones pétreas en el jardín del templo Motsu-ji, en Hiraizumi, que data de principios del siglo XII.

cho considerable. Y para que el chapoteo de la cascada se oyera desde lejos, mandó colocar grandes rocas en medio de la corriente donde el agua rompía con violencia. Puesto que la estación ya estaba bastante avanzada, sucedió que esta parte del jardín era la que más llamaba la atención. Su belleza era tal, que superaba con mucho a los soberbios bosques de las cercanías de Oi, famosos por sus colores otoñales».

«Una fresca fuente manaba en el jardín del noreste y brindaba a su entorno un agradable refugio del calor estival. En los arriates al lado de la casa plantó bambúes chinos y, un poco más lejos, grandes árboles cuyo espeso follaje se abombaba formando corredores aireados y sombríos, tan agradables como los más idílicos bosques de las montañas. El jardín estaba rodeado por setos con matas de deutzias blancas, naranjos cuyo aroma despierta el amor olvidado, rosas silvestres, peonias gigantes y otras muchas clases de arbustos y matas altas, escogidos con tal acierto que ni en primavera ni en otoño faltaría la riqueza de flores. En el este se había separado una gran plaza mediante muros, detrás de ellos se elevaba un pabellón de carreras y delante del mismo se encontraba la pista marcada con setos. Como tenía previsto permanecer aquí durante las carreras del quinto mes, plantó a lo largo del arroyo los pertinentes gladiolos violeta. Enfrente se encontraban los establos de sus caballos de carreras y los alojamientos de los jinetes y los mozos de cuadras. Aquí se reunían los más atrevidos jinetes de todas las provincias del imperio».

«Hacia el noroeste se elevaba un alto terraplén, detrás del cual se encontraban los almacenes y graneros separados por un tupido muro de abetos que se habían plantado aquí para que la dama Akashi disfrutara contemplándolos con las ramas cubiertas de nieve. Y para su recreo se había

sembrado en el primer jardín de invierno un gran parterre de crisantemos con el que, tal como imaginaba el príncipe Genji, se alegrarían una mañana cuando todo el jardín blanco se hubiera liberado. También crecían allí el ‹roble imperial› [Quercus dentata] y otros cientos de arbustos procedentes de lugares salvajes e impenetrables, que nadie sabía como llamar porque, salvo en este jardín, sólo se veían en raras ocasiones».

A partir de los pasajes citados, me inclino a creer que no sólo la capital y el palacio imperial, sino también los jardines de la nobleza se proyectaron según las leyes de la geomancia y que además debían representar una especie de mandala, una reproducción del cosmos. Los cuatro jardines que se describen en la Historia del príncipe Genji despliegan todo su esplendor en «su» estación del año y, tomando el edificio principal del palacio como punto de referencia, se encontraban en la dirección que se le atribuía en el diagrama de las cinco fases evolutivas. Los nombres de los jardines, que hacían referencia a los puntos cardinales, posiblemente también servían de orientación en el laberíntico complejo del palacio.

Wybe Kuitert ha reunido numerosos documentos literarios, en base a los cuales llega a la conclusión de que los jardines de la época Heian en realidad se orientaban según el punto cardinal que se les atribuía místicamente; es decir, que las descripciones de la «Historia del príncipe Genji» «no son una convención literaria, sino la descripción de una realidad»[27].

Muchos testimonios literarios de la época Heian tratan de las cuatro estaciones y sus distintos placeres: en novelas y diarios, en poemas y en el *makura kotoba*, literalmente «palabras acolchadas», a menudo descripciones proverbiales sobre las estaciones que solían servir de inspiración a

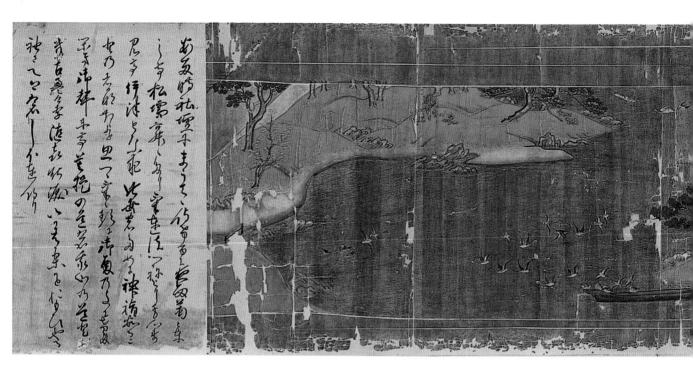

Arriba:
El ensamblado interior de la arquitectura abierta ortogonal y su lujoso jardín con fuente, lago e isla.
Abajo:
Cuadro escénico que representa las cuatro estaciones del año. Las formas naturales irregulares se ordenan rítmicamente mediante las formas ortogonales de los biombos del palacio de la época Heian. Ambas ilustraciones se han tomado del Kasuga Gongen Kenki Emaki, un rollo ilustrado de Takabane Takashina del año 1309. (Museo Nacional, Tokio)

智足院乃關白殿、まつ口へなゝ一て、高安時遠
川地右官のむ、小んら有まて小を東へ方の事あ
そう年開るてあきむ事なとて、それも開小小にや
法六行く宮なりなかれ、せく开もられ小、や
小る、なすか教有を給るて左府なそめ了から
をきまる女房をち申あせて、そのゝ给むきんち
はてるる女房をち申あせて、その乃ゝ给むきんち
子う世給小名小なゝ内事かひうを小右府小かなたらき
法師乃るみとて御まう小く、やゝ
比候をうろ一たに、ぶんちゝく
ら小小小小りゝゝまてゝ春日大明神一つせ給小む
まりてもゝ乃大將夏小見泰ちれせ申さしもゝ給小
たりてもゝ乃對面し給小左府乃まやゝか
むぶれたゝ里をてりつるゝ子、我子とやむゝ
うすゆれゝなき事そゝ小ちゝ乃ゝゝねち提ゝゝ
て御子と申せらふ小小井まう小每小民
そう给てゝ人小なゝせゝちに行せる给た
小を给てゝ人小むゝ小か残ちて乃绪て候さてゝ
法様寺殿乃御房乃御事なる给て、禅、右府乃行
小松大臣顯房さ申人のむ予乃むねのを苑にむまし
うすてゝ事多せ小ちり残ゝ乃ゝゝゝ给てゝさてゝ
给うてゝ事多せ小ゝりゝゝゝゝゝゝゝゝゝゝゝゝ
老乃後小う紙うゝられゝゝゝゝゝゝゝゝゝゝゝゝ
うまゝゝよれゝう人わゝつゝゝゝゝゝゝゝゝゝゝ
う祇さ女君と名同宿し给小げら、まり大將夏

la poesía de la época Heian. La vida cotidiana en los palacios aristocráticos también estaba marcada por las imágenes y los ritmos de las cuatro estaciones, por los ritmos biológicos de los jardines y por los cuadros *shiki-e* en el interior de los palacios que representaban la belleza de las cuatro estaciones.

Los palacios de la época Heian estaban marcados por una construcción móvil de módulos de madera que se podía abrir hacia el jardín. Las mamparas correderas que dividían el espacio y las paredes que permitían adaptar las estancias del palacio a las necesidades individuales, solían estar pintadas. Las pinturas *(shiki-e)* también acercaban la naturaleza a los moradores del palacio: se trataba de representaciones de las cuatro estaciones, fiestas y lugares festivos determinados por ellas.

Ienaga Saburo describe en el siguiente pasaje la fascinación que la época Heian sintió por los ritmos de la naturaleza: «Se creía que la naturaleza y la vida humana estaban tan entrelazadas, que la representación de la naturaleza siempre era una representación de fiestas humanas que a su vez, ya fueran religiosas o no, estaban determinadas por las estaciones. Eje y centro de esta pintura fue siempre la analogía entre los ciclos de la naturaleza y los ciclos de la vida humana»[28]. La época Heian ve al hombre como una parte de la naturaleza.

Mono no aware: la sensibilidad del mundo

La mejor expresión para calificar la relación emocional, no intelectual o religiosa, que unía la época Heian con la naturaleza es *mono no aware*, una palabra casi imposible de traducir. Quisiera proponer aquí la siguiente traducción: «la sensibilidad del mundo». Según Ivan Morris, la expresión *aware* aparece exactamente 1018 veces en la «Histo-

ria del príncipe Genji»[29]. Éste sería el gran tema de la estética Heian. A menudo aparece traducido como la «esencia emocional de las cosas», pero me parece que esta traducción se queda demasiado corta. Las «cosas» no tienen emociones. Sin embargo en la época Heian las piedras, las flores y los árboles no eran simples cosas muertas, sino que poseían un «ser» y una sensibilidad propios. La sensibilidad para captar estos rasgos es un requisito previo del arte Heian. Y, puesto que la sensibilidad para apreciar lo efímero de todo ser estaba tan marcada en la época Heian, la expresión *mono no aware* adquirió un profundo matiz melancólico.

El Sakutei-ki:
El manual clásico de la jardinería

Junto con la «Historia del príncipe Genji», el *Sakutei-ki* es el manual clásico de la jardinería, una fuente inagotable de información sobre la relación de la época Heian con la naturaleza y la jardinería. Los expertos japoneses creen que Tachibana no Toshitsuna fue posiblemente el autor de este libro. Tachibana fue el hijo de Fujiwara no Yorimichi, el constructor del ya descrito *Byodo-in*, uno de los pocos complejos religiosos conservados de esta época. Si Tachibana fue realmente su autor, podemos suponer que el libro fue escrito en la segunda mitad del siglo XI. El autor no fue un jardinero profesional, sino un miembro de la nobleza japonesa, quizá un testigo interesado y un colaborador entusiasta en algunos de los jardines de la época Heian. El *Sakutei-ki* parece una colección de reglas para la construcción de los jardines de la época. No sabemos si estas reglas eran generalizadas y ya habían aparecido en otros libros hoy desaparecidos, o si sólo fueron transmitidas oralmente del maestro al discípulo, o si por el contrario se mantuvieron en estricto secreto. En cualquier caso, el libro de Tachibana constaba de dos rollos y llevaba el título más adecuado *Senzai hisho*, «Tratados secretos sobre los jardines».

El colofón del manuscrito, es decir, la fórmula final que generalmente incluye datos sobre el escritor y el lugar donde se redactó el texto, dice: «Escrito por un viejo loco. Este valioso tesoro debería mantenerse en estricto secreto». No obstante, hay motivos para suponer que esta frase final no se introdujo hasta bastante después de que el texto fuera redactado, cuando la ciencia de este documento adquirió importancia económica para la nobleza de Japón que había perdido su poder político en favor de los samurai, la clase de los guerreros.

El propio autor del *Sakutei-ki* reconoce en un pasaje: «He escrito aquí lo que yo mismo he oído sobre lo principal en la colocación de las piedras, sin incluir mis propios juicios sobre lo bueno y lo malo. El monje En no Enjari conocía las tradiciones secretas de las disposiciones de piedras. Yo me encuentro en posesión de sus escritos. Aunque he estudiado y, según me parece, he entendido sus principios fundamentales, su dimensión estética es tan inagotable que jamás podré aprenderla por completo. Además, están desapareciendo las personas que entienden de estas cosas. Me temo que muy prondo habremos olvidado todas las reglas y tabús de la jardinería y que a la fuerza someteremos los jardines a nuestras formas».

Es posible que «tradición secreta» durante la época Heian no significara nada más que que las reglas sólo eran conocidas por los miembros de la nobleza y los monjes budistas, las dos únicas clases sociales a las que les estaba permitido cultivar el arte y en especial el arte de la jardine-

ría. Por tanto, «secreto» no implica necesariamente la existencia de una sociedad fundada a partir de un texto secreto, sino tan sólo que los textos de la «tradición secreta» no eran fáciles de entender y que para su comprensión se precisaba un método, una «clave». Ésta fue transmitida oralmente del maestro al discípulo, siempre y cuando el maestro considerara que el discípulo era digno de ello.

El *Sakutei-ki* trata del arte de la jardinería en los palacios nobles del estilo shinden. Por desgracia, el libro no incluye ningún tipo de ilustraciones, aunque sí una gran cantidad de informaciones: tras una introducción a los principios básicos de la jardinería, el autor describe cinco tipos de jardines que se pueden crear en las orillas de lagos y ríos, distingue ocho tipos distintos de islas, y proporciona datos prácticos que se deben tener en cuenta al proyectar un jardín. Aparte de todo esto, el autor diferencia nueve estilos en la configuración de las cascadas, trata las diferentes posibilidades de trazar un arroyo en el jardín y se ocupa del arte de las composiciones de piedras. El libro contiene, por último, una colección de preceptos y prohibiciones que se deben respetar en los jardines. El comienzo del *Sakutei-ki* constituye una de las mejores colecciones de reglas básicas para la jardinería de la época Heian:

«Estas son las reglas básicas para *erigir* las piedras:
– Traza el contorno del lago con sensibilidad para apreciar su posición en el entorno. Al hacerlo, *sigue* sus deseos. Ten en cuenta la *atmósfera* de los lugares que se ofrecen para la instalación del jardín. Contempla cómo la naturaleza configura las *escenas de la montaña y el agua* y reflexiona sobre estas escenas naturales.
– Cuando imites los jardines de los antiguos maestros famosos, no olvides que su función era otra y proyecta tu imitación de acuerdo con tu propio *gusto*.

Composiciones de rocas de la época Heian:
templo Hokongo-ji, en Kioto. La cascada de más
de cuatro metros de altura fue levantada,
según Shigemori Mirei, en el año 1130. El Sakutei-ki denomina el estilo de esta cascada tsutai-ochi,
es decir, cascada escalonada.

El templo Motsu-ji, en Hiraizumi: el lugar donde
el arroyo del jardín desemboca en el estanque
está marcado con algunas rocas grandes.

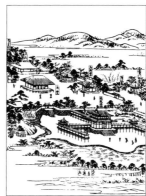

– Cuando quieras inspirarte en las *famosas bellezas naturales* de otros países para construir tu jardín, procura captar su *hermosura* y deja que su impresión general se manifieste en tu jardín sin aferrarte servilmente a los detalles. Así se deberían erigir y armonizar las piedras».

He traducido las primeras palabras del texto, *ishi wo tateru*, con la expresión muy literal y poco elegante «erigir las rocas». Tamura, cuya revisión del *Sakutei-ki* ha sido la base de mi traducción, cree que el término *ishi wo tateru* y la práctica designada por él, «erigir las rocas», son la idea central de la jardinería japonesa de la época Heian. Por tanto, la expresión se podría tomar como un término metonímico y designar el arte de la jardinería en general[30]. El propio autor del *Sakutei-ki* tampoco parece saber muy bien como aplicar la expresión, ya que comenta lo siguiente: «En realidad, sólo raras veces se erigen rocas. Las piedras se colocan, generalmente. Y, a pesar de todo, en japonés no hablamos nunca de colocar rocas, sino de erigirlas». Yo creo que el uso de esta palabra es un ejemplo más del lenguaje directo y concreto de los antiguos textos. Los términos abstractos como «paisaje», «escena» o «jardín» todavía no son usuales en la época Heian. En su lugar se utilizan palabras para indicar una actividad concreta y central en el proceso de la configuración del jardín.

Los distintos elementos de un jardín no se consideran cosas muertas, sino seres con un carácter propio. En el *Sakutei-ki* se dice: «A la hora de erigir piedras, primero se deben llevar al jardin rocas grandes y pequeñas y reunirlas en un lugar. Después se debería orientar hacia el cielo la cabeza de las rocas en pie y la cara de las rocas tumbadas, y después repartirlas por el jardín...»

El *Sakutei-ki* incluye dos tipos de principios que permiten deducir dos conceptos paralelos de la arquitectura de los jardines. El primer tipo hace alusión a China como país de origen. Estos principios «chinos» proporcionan instrucciones muy precisas en el sentido de la geomancia china y sus metáforas místicas. Aquí podemos ver una vez más la importancia de la «moda china» en la época Heian. El segundo tipo de principios es esencialmente más ambiguo y habla de criterios o formas de pensar que se deben tener presentes en la jardinería. De acuerdo con el investigador japonés Tanaka Masahiro, en estos dos tipos de reglas básicas se puede reconocer el «alma japonesa» del *Sakutei-ki*.[31]

Tanaka subraya sobre todo cuatro expresiones dentro de estos principios, que siempre se repiten y que yo he destacado en mi traducción.
– *Shotoku no sansui:* literalmente significa «montaña-agua de la naturaleza viva». Al colocar rocas, construir cascadas o trazar lagos y arroyos, había que tener presente la vida de la naturaleza. La expresión implica que un jardín debe compenetrarse con la naturaleza.
– *Kohan ni shitagau:* esta expresión significa literalmente «dar cumplimiento a un deseo». Se debería «dar cumplimiento» a los «deseos» de una roca, del curso de un arroyo, de una isla o un lago, lo cual significa que se debería armonizar el resto de la composición con estos primeros objetos presentes en el lugar o colocados por el hombre. En la época Heian, las piedras y otros elementos del jardín no eran objetos muertos, sino seres con una personalidad propia que se debían tratar con amor y respeto.
Se consideraba que la condición de la auténtica creatividad era vaciarse interiormente por completo y serenarse para captar los «deseos» de las cosas.
– *Suchigaete:* esta expresión significa literalmente «asimétrico» o «sin equilibrio». Rocas, islas y lagos se debían in-

El jardín paradisíaco de la época Heian tardía con el típico lago y las islas:
a. El templo Hojo-ji, en Kioto, del año 1019. En el templo primitivo, el jardín aparece completamente rodeado por los edificios del templo.
b. El templo Byodo-in en Uji, cerca de Kioto, del año 1025. Parece como si el templo se abriera hacia el jardín.
Izquierda: grabado en madera del siglo XVIII con la situación del templo.
c. El templo Motsu-ji, en Hiraizumi, de principios del siglo XII, está completamente rodeado por jardines. A: El pabellón dorado. B: El pabellón de conferencias. C: El pabellón de Amida.

Página siguiente:
Kyokusui no en, la «Fiesta del arroyo sinuoso», una costumbre cortesana de la época Heian. Hoy en día se ha recuperado la tradición de esta fiesta en el templo Motsu-ji. En este templo se celebra cada mayo la Fiesta del arroyo sinuoso.
Fotografía: Joshiji Chiba, Hiraizumi

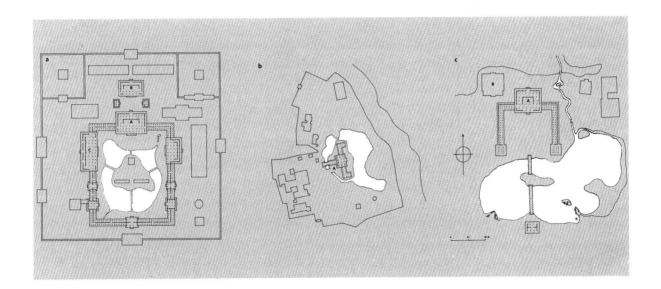

corporar siempre de una forma asimétrica dentro del marco simétrico de un palacio del estilo shinden. De este modo, la asimetría de la naturaleza queda enfrentada a la simetría de lo artificial.

– Fuzei: esta expresión significa literalmente «el soplo de la sensibilidad». Designa la atmósfera de un lugar y quizá también pudiera traducirse como «genius loci». El fuzei se puede descubrir en la naturaleza, pero también se puede crear en el jardín. Resulta significativo que esta expresión designe también el gusto individual de un artista de la jardinería o del propietario del jardín. Por lo tanto, la palabra aúna dos conceptos: algo objetivo y natural, el «carácter» de un lugar, y algo subjetivo, el «gusto» del espectador que está contemplando o creando.

Tanaka, el experto japonés citado anteriormente, considera estos cuatro términos como prueba de que el artista de la época Heian aspira a identificarse con la naturaleza y seguir sus criterios internos. No está de más añadir que con ello no estamos haciendo referencia a una simple copia de la naturaleza, sino a una compenetración creativa, selectiva y compositiva. Claro está que el «gusto» del jardinero está condicionado por la cultura. Las gentes de esta época preferían los jardines con lagos e islas que reprodujeran lo más exactamente posible una escena natural. Los jardines, además, suelen estar dedicados a un tema específico. Deben evocar el encanto de las cuatro estaciones o representar una famosa belleza natural. Ambos temas aparecen también en la lírica y la pintura de la época Heian. La jardinería de esta época es el arte de la imitación del aspecto externo de la naturaleza que se compenetra con ella.

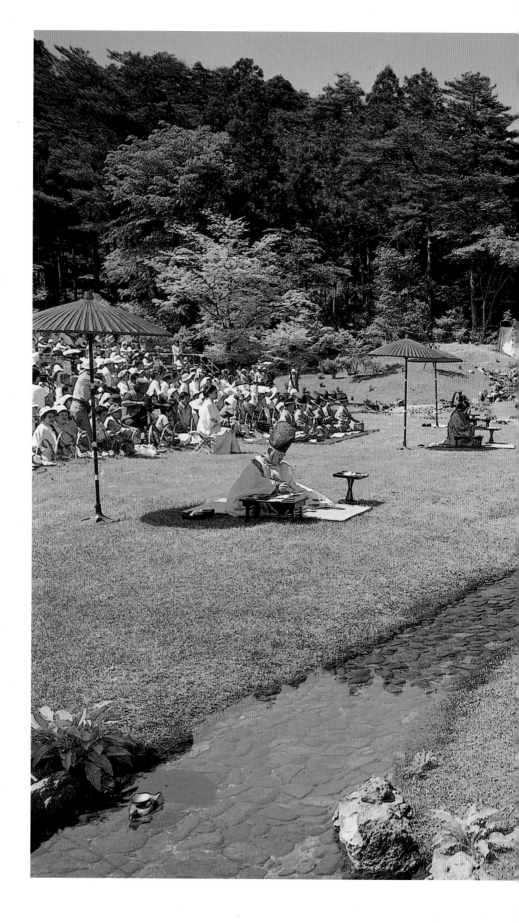

枯山水

Rocas en la arena
El jardín de la simplicidad

En los jardines de las épocas Kamakura y Muromachi se reconocen enseguida las huellas de la segunda gran oleada de influencia china en la cultura japonesa, sobre todo el budismo zen y la pintura paisajística de las épocas Song y Yuan. *Kare-sansui* es el nombre del escenario propio del prototipo de esta época. *Kare-sansui* es un pequeño paisaje seco de «montaña y agua», enmarcado por la austera arquitectura shoin. Estos jardines sirven para la contemplación, por lo que el espectador se debe situar en determinados lugares del jardín ya prescritos por adelantado. Durante la época Kamakura fueron realizados por monjes de la secta esotérica Shingon, los llamados *Ishitateso*, que participaron en la planificación de los jardines de un modo semiprofesional. Los monjes zen ocuparon su puesto más tarde. Durante la época Muromachi, los llamados *Kawaramono*, «gentes de las orillas del río», fueron adquiriendo progresivamente el estatus de arquitectos de jardines. Los shogunes Ashikaga apreciaron mucho su labor. Los elementos empleados en la configuración de los jardines de las épocas Kamakura y Muromachi se pueden calificar todavía de «naturales», aunque se trate de una naturaleza muy austera que a menudo casi parece abstracta. El jardín de las épocas Kamakura y Muromachi imita la esencia interna de la naturaleza y no sus manifestaciones externas.

La época Kamakura

Del mismo modo que la «Historia del príncipe Genji» ha sido capaz de arrastrarnos a la época Heian y trasmitirnos una impresión del placer que la naturaleza proporcionaba a los poderosos de la época, la «Historia de Heike», una antigua epopeya bélica, nos trasmite una impresión del espíritu que animó la agitada época Kamakura, la época de las guerras.

«En el toque de la campana del templo de Gion resuena un eco de la caducidad de las cosas. La flor pálida del árbol de teka anuncia que todo aquel que quiera ascender, también caerá. El orgullo es fugaz como el sueño de una noche de primavera. Los poderosos caerán y serán arrastrados por el viento como partículas de polvo».

La «Historia de Heike» describe de una forma pintoresca el final del poderoso clan Taira que dominaba la corte imperial. Fue derribado por el clan Minamoto, que había cimentado en las provincias las bases de su poder. En las provincias orientales del país, lejos de la capital imperial Kioto, el caudillo del clan Minamoto, Yoritomo Minamoto, consiguió imponer un gobierno militar independiente del emperador. En el año 1185 fundó su capital, Kamakura, donde él mismo gobernaba como shogun, generalísimo. A partir de ese momento, el auténtico poder en el país parte de esta ciudad, aunque Kioto continuó siendo la capital oficial de Japón durante un siglo y medio más y el emperador mantuvo siempre una función en el estado, si bien era esencialmente ceremonial.

La segunda gran oleada de influencia china en el Japón

Durante la época Kamakura irrumpe en Japón la segunda gran oleada de influencia china. Los shogunes, nuevos soberanos políticos, y los samurai sintieron un fuerte interés por el budismo zen chino. Por una parte, la disciplina desarrollada por la meditación del budismo zen favorecía su propia postura y, por otro lado, las obras de arte de la dinastía china Song, introducidas en el país con el budismo zen, les permitían documentar su reciente estatus de soberanos con una ostentación distinta a la tradicional cultura cortesana. Así fue como imitaron la literatura, la pintura y la arquitectura de la dinastía Song. El «arte moderno» se identificaba con el arte chino, los servicios de té, las pinturas, los incensarios y los esmaltes chinos. Fueron sobre todo los monjes japoneses zen quienes trajeron noticias sobre la cultura de la dinastía Song: estos monjes se habían marchado a China a causa de su descontento con las sectas budistas japonesas respaldadas por la corte imperial, en especial las del budismo Amida y otras sectas esotéricas menores. En China querían encontrar una doctrina pura. Algunos monjes chinos también habían huido a Japón durante la invasión de los mongoles. Un monje llamado Eisai (1141–1215) fundó la secta Rinzai, y un monje llamado Dogen fundó en Japón la secta Soto del budismo zen.

La palabra zen procede del término sánscrito *dhyan,* que originariamente significaba «meditación». La práctica de la meditación zen se basa en la creencia en el *ji-riki,* el «control sobre el propio yo», lo único que proporciona la iluminación. Esta creencia del budismo zen se opone a la doctrina de las sectas del budismo Amida, que afirma la existencia de un país puro en el Oeste y que se apoya en el *ta-riki,* la «ayuda exterior» en el camino que conduce a la salvación. En este sentido, la meditación no se puede equiparar ni con la concentración ni con la contemplación, porque ambas se basan en el entendimiento, el pensamiento. Para el budismo zen, la meditación significa escapar de los límites del entendimiento. La meta de esta meditación se llama en japonés *mu-shin,* que se podría traducir como «no pensar». Pero ésto no equivale a la supresión de la mente, ya que quien ha alcanzado el estado del *mu-shin* percibe el mundo de una forma especial. Sólo ha desparecido el yo que piensa, pregunta y juzga continuamente. El budismo zen concibe la iluminación como la «experiencia» de la disolución del yo (que apenas se puede llamar experiencia, puesto que el sujeto experimentador ha desparecido). En el mundo occidental no existe una categoría capaz de abarcar el significado de este tipo de experiencia, dado que esta «experiencia» es desconocida hasta en su apariencia.

Por lo menos no sabemos de nadie que haya tenido una experiencia semejante, ni tampoco existen métodos que permitan al maestro guiar a sus alumnos hacia la misma. Pues bien, aunque para nosotros apenas resulte comprensible, descubrimos en ella la esencia interna de la espiritualidad del Asia oriental. Son innumerables las noticias de hombres y mujeres en la India, China, Japón y otros países asiáticos que han tenido la «experiencia» de la iluminación. Esta tradición y esta forma de entender la meditación son la mayor aportación del Asia oriental al desarrollo de la conciencia humana.

Pero esto no quiere decir que la arquitectura de los templos zen y el arte de sus jardines condujera a los estudiantes del zen a lograr la iluminación. Más bien parece todo lo contrario, los conocimientos psicológicos adquiridos a través de la iluminación o la meditación, influyen permanentemente en el artista y su obra.

La época Muromachi

El emperador Godaigo consiguió derrocar a los shogunes Kamakura en el año 1333. Restauró el poder imperial por tres años, pero en 1336 Ashikaga Takauji instauró un nuevo gobierno militar que esta vez estableció su sede en Kioto. El nuevo soberano pertenecía al clan Minamoto.

Ashikaga Yoshimitsu, nieto de Ashikaga Takauji, trasladó el cuartel general de su shogunado al barrio Muromachi en el noroeste de Kioto. De ahí que el periodo de los Ashikaga también se denomine *Muromachi Bakufu*, «feudalismo Muromachi». El palacio erigido por Ashikaga Takauji en el año 1378 en el barrio Muromachi de Kioto, se conocía popularmente como *Hana no gosho*, «Palacio de las flores» –un tributo a los innumerables cerezos que adornaban los jardines del palacio–. La arquitectura de palacios y jardines todavía está condicionada por las ideas tradicionales de la época Heian. El palacio y su jardín se proyectan según el estilo shinden. El jardín tenía un gran lago, islas, patios y diversos pabellones. Por desgracia, tanto el «Palacio de las flores» como otros palacios nobles de la época no sobrevivieron las guerras Onin (1467–1477), muy similares a una guerra civil. El palacio imperial actual se levanta, sin embargo, sobre un antiguo palacio noble de la época Muromachi.

Esta época duró unos dos siglos y medio, de 1336 a 1573, y se caracterizó por las constantes tensiones internas y luchas de poder que, no en raras ocasiones, desembocaron en guerras. Así por ejemplo, en el año 1477 la ciudad Kioto fue desvastada por completo. Curiosamente, este periodo fue uno de los más creativos en la historia japonesa; durante el mismo surgieron numerosas manifestaciones culturales típicas del Japón: la ceremonia del té y el teatro noh, la pintura paisajística japonesa, la arquitectura shoin y los jardines de paisaje seco. Estas creaciones de la época Muromachi representan para nosotros la expresión genuina de la cultura japonesa. Hay que señalar también que las fases culturales principales de la época Muromachi llevan el nombre de los jardines de los shogunes:

Existe una época *Kitayama*, denominada según los «Montes en el norte» donde Ashikaga Yoshimitsu (1358–1408) se hizo construir un «pabellón dorado» con jardín. También conocemos la época *Higashiyama*, que lleva el nombre de los «Montes en el este» donde Ashikaga Yoshimasa (1436–1490) construyó un «pabellón plateado» con jardín como residencia de verano.

El gran nuevo prototipo de la época Muromachi es el jardín *kare-sansui*, literalmente «jardín seco con monte y agua». Su austera arquitectura respondía al gusto de los monjes zen y los samurais, y había sido creado especialmente para ellos. El jardín kare-sansui no estaba pensado como un lugar de recreo, sino como un jardín contemplativo y para contemplarlo había que situarse en determinados lugares del mismo.

El paso a un nuevo prototipo de jardín

Por supuesto que el prototipo de la época Heian no desapareció de repente, sino que aún perduró un tiempo durante la época Muromachi. La configuración especial de este prototipo recibió el nombre *chisen kaiyu teien*, que literalmente significa «jardín de paseo con lago y fuente». Era un jardín que no se recorría en barca como los jardines de la época Heian, sino paseando. Posiblemente se debiera a que los lagos de estos jardines por regla general eran más pequeños, de modo que no merecía la pena una excursión en barca.

Los jardines de los primitivos templos zen:

Saiho-ji: El templo de los aromas occidentales

El jardín del templo Saiho-ji, en el oeste de Kioto, constituye una transición del antiguo jardín paradisíaco de la época Heian al nuevo prototipo. El templo Saiho-ji también se conoce popularmente como *Kokedera*, «Templo del musgo», porque hoy en día se encuentra completamente cubierto de musgo que le da el aspecto de un gran tapiz húmedo de terciopelo. Si bien no es probable que este tapiz de musgo formara parte del plan de sus creadores. El lago del *Saiho-ji* resulta bastante pequeño en comparación con los lagos de los jardines paradisíacos de la época Heian.

El jardín tiene un carácter doble que lo distingue como producto de una fase cultural de transición: en su mitad inferior es un típico jardín con lago, tres islas grandes y cuatro pequeñas, cuatro penínsulas, las famosas rocas de anclaje y diversas rocas que simbolizan islas. La mitad superior presenta una serie de composiciones de rocas, y algunos científicos lo han considerado el primer ejemplo del jardín insipirado en el budismo zen. En cualquier caso, sea cierto o no, se trata de la primera manifestación del *kare-sansui*, el jardín de paisaje seco.

El *Sakutei-ki*, el manual clásico de la jardinería de la época Heian, ya cita un tipo de jardín en el que el agua ha dejado de actuar como elemento integrante. De ahí que muchos investigadores japoneses hayan llegado a la conclusión de que el paisaje seco no es una creación de las épocas Kamakura o Muromachi, sino el desarrollo ulterior de una idea ya en circulación desde hacía tiempo. En el *Sakutei-ki* se dice:

Plano de conjunto del santuario Saiho-ji. Los edificios todavía existentes se indican con la planta. Los edificios primitivos, desaparecidos en la actualidad, se indican tan sólo con las formas de los tejados. A: jardín seco superior. B: jardín seco inferior. 1: cascada de piedra. 2: zazen-seki, la roca de la meditación. 3: la isla de las tortugas. 4: la roca yogo-seki marcada con la cuerda sagrada. 5: shonan, la arboleda del té. 6: «Isla del sol vespertino». 7: «Isla del sol matutino». 8: «Lago dorado».

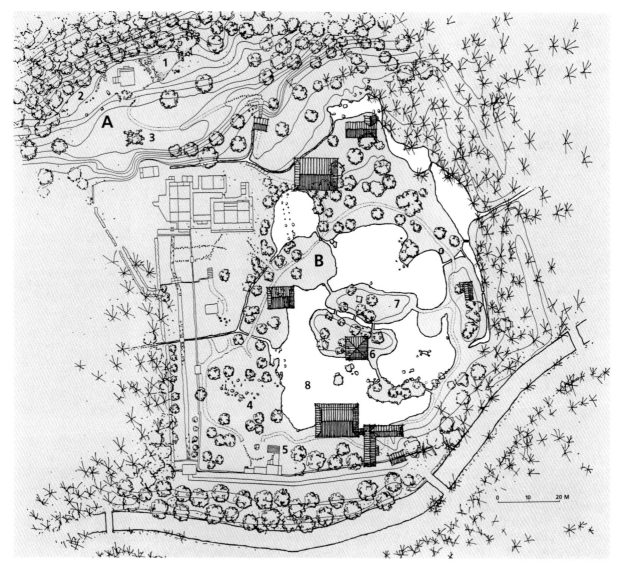

La roca yogo-seki, marcada con una cuerda sagrada de paja, se encuentra cerca de una fuente llamada «agua clara del sol matitutino» que desemboca en el «Lago dorado».

Paisaje cerca de las dos islas centrales, la «Isla del sol vespertino» y la «Isla del sol matutino».

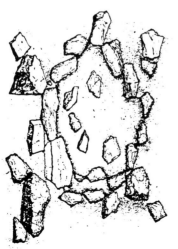

La kame-shima, la composición pétrea en la isla de las tortugas de aspecto auténticamente icónico, en el jardín del Saiho-ji, el «Templo de los aromas occidentales» en Kioto. La isla de las tortugas en realidad no es una isla, sino que se encuentra en un jardín seco donde el musgo representa el mar que la rodea (el dibujo inferior procede de la obra de M. Shigemori: Zukan, 1938, vol. 2, I parte, pág. 38).

«A veces ocurre que se colocan piedras en un lugar donde no éxiste ni un lago ni un arroyo. Es lo que se llama *kare-sansui*. En estos jardines, la parte del monte se ha concebido como una elevación rocosa o un paisaje escarpado. Las rocas se colocan después encima. Si se quiere imitar una aldea de montaña, se debería tener un monte elevado cerca del edificio principal. Después habría que colocar las rocas en forma escalonada, como si realmente se hubiera rebajado una parte del monte para levantar un edificio. Las piedras desenterradas de este modo tienen una base amplia, de ahí que no se puedan sacar del todo y transportar. Una roca semejante debería servir de base al pilar de un edificio».

Según informes de la época, en el año 1334, el maestro zen Muso Kokushi se hizo cargo del templo Saiho-ji y lo convirtió en un monasterio zen. *Saiho-ji* significa literalmente «templo occidental» pero, con un pequeño cambio en la escritura japonesa que deja invariable la pronunciación, Muso Kokushi convirtió el «templo occidental» en un «Templo de los aromas occidentales». Al parecer, Muso Kokushi mandó levantar además un gran número de edificios en el terreno del templo que, junto con las numerosas galerías nuevas del jardín, lo cubrieron con una retícula ortogonal, algo de importancia capital para la experiencia estética del espectador. Por desgracia, los edificios primitivos del templo han desaparecido.

Los historiadores del arte japoneses no han llegado a un acuerdo sobre la cuestión de si Muso Kokushi fue realmente el autor del paisaje seco en la parte superior del parque del templo Saiho-ji. Como ya se ha mencionado, tampoco está claro si este jardín es un nuevo prototipo del jardín zen o la continuación lógica de un prototipo conocido ya en la época Heian, aún cuando no se trate de tipos

Página siguiente:
El jardín del Tenryu-ji, en Kioto, enmarcado por
los ángulos rectos de la casa del sumo sacerdote
en una clara mañana de otoño.

La impresionante composición pétrea del
kare-taki, la cascada de tres escalones que influ-
yó en generaciones enteras de jardineros de
las épocas Kamakura y Muromachi. La cascada
se encuentra en la parte superior del jardín
del templo Saiho-ji (el dibujo inferior procede de
la obra de M. Shigemori: Zukan, 1938,
vol. 2, I parte, pág. 38).

especialmente significativos. Tampoco se llegará a saber si el jardín de paisaje seco sólo tiene una explicación a partir de la tradición zen. Lo que sí podemos asegurar es que el jardín del templo Saiho-ji se creó bajo el protectorado de un maestro zen muy interesado en el arte de la jardinería. Y también podemos decir que, en cuanto a su disposición, se encuentra entre el típico jardín paridisíaco de la época Heian y el jardín más simple de la época Muromachi. El templo Saiho-ji data de la época Kamakura, es decir, exactamente entre las épocas Heian y Muromachi. Al contrario que los jardines de la época Muromachi, este jardín todavía invita a pasear. Su belleza se aprecia recorriendo las pequeñas sendas alrededor del lago o atravesando uno de los muchos puentes y visitando las islas.

Hay tres grupos de rocas muy caprichosos sobre el aterciopelado tapiz de musgo que ejercieron, y siguen ejerciendo, una gran fuerza de atracción entre los amantes de la jardinería en Japón.

El primero de estos grupos de rocas se llama *kameshima*, «Isla de las tortugas», una «isla» que no se eleva en un lago, tal como se ha comentado anteriormente, sino en un «mar» de musgo. *Kameshima* es la composición pétrea con el carácter simbólico más marcado en todo el Japón. El segundo grupo famoso del jardín Saiho-ji es la gran piedra plana de meditación, el *zazen-seki*, de donde parte la paz y el sosiego de la meditación. Y la tercera atracción es el *kare-taki*, la famosa cascada que se compone esencialmente de bloques planos de granito apilados de forma escalonada. Aunque en esta cascada no corre ni una gota de agua, sugiere de un modo insuperable el ruido imponente de una cascada auténtica. Su belleza es tan fascinante, que las incógnitas académicas sobre su origen quedan relegadas a segundo término.

Tenryu-ji: el Templo del dragón celestial

Al igual que el *Saiho-ji*, el *Tenryu-ji*, «Templo del dragón celestial», se encuentra en el umbral de una nueva época. Se construyó en el terreno de un palacio del poderoso emperador Gosaga. El palacio se conocía popularmente como *Kameyama dono*, «Casa sobre el monte de la tortuga». El terreno de este enorme palacio abarcaba originariamente desde el río Oi hasta el monte Araschiyama, un lugar muy popular todavía hoy cuando florecen los cerezos y en el otoño. El emperador Gosaga se había retirado en el año 1256 a este palacio, más allá de los límites de la ciudad, y continuó gobernando desde allí otros cuarenta años más a pesar de haber abdicado oficialmente. Al final tuvo que huir a las montañas Yoshino, donde murió en el exilio.

Ashikaga Takauji, que le había usurpado el cargo y arrebatado el poder, temía que el espíritu del emperador estuviera tramando una venganza. Para aplacarlo, mandó construir un monasterio zen en una parte del terreno del palacio imperial: *Tenryu-ji*. Y nombró al constructor del *Saiho-ji*, Muso Kokushi, sumo sacerdote del mismo.

Muso Kokushi se encargó también aquí de la transformación de los edificios palaciegos y los jardines de recreo en un monasterio zen. Pero considerarlo el autor de las extrañas composiciones rocosas de la gran cascada, me parece más que cuestionable: estos grupos son básicamente diferentes a los del *Saiho-ji* que también se le atribuyen. En cualquier caso, entre los historiadores japoneses no existe posible acuerdo sobre la autoría de estas composiciones. Sólo coinciden en un punto: son el primer ejemplo de la propagación de un nuevo estilo en esta manifestación artística. Un estilo que presenta grandes similitudes con las composiciones de la dinastía Song en China. E incluso cabría la posibilidad de preguntarse si el autor de esta obra no era chino.

Al igual que los jardines paradisíacos de la época Heian, el jardín del Tenryu-ji dispone todavía de un lago, aunque resulta demasiado pequeño para pasear en barca o celebrar fiestas como en los jardines de la época Heian. No obstante, las sendas que rodean el lago y los puentes sobre las gargantas en miniatura invitan a deambular por él. También parece claro que el jardín estaba proyectado a la medida del *hojo*, la vivienda del sumo sacerdote. Desgraciadamente, los edificios primitivos fueron derribados durante la época Meiji y sustituidos por nuevas construcciones. No obstante se puede reconocer que el *hojo* era el mejor lugar para contemplar el jardín; el marco ortogonal del edificio hacía que el jardín pareciese una gigantesca pintura tridimensional.

La pintura paisajística china de la dinastía Song ejerció una gran influencia en la concepción general del jardín y en algunos de sus detalles –por ejemplo el grupo de piedras colocado en la inmediata cercanía de la cascada–. Una de las características del paisajismo de la dinastía Song es sugerir profundidad en un espacio y precisamente es este efecto el que se intenta conseguir en el jardín Tenryu-ji. Contemplando el jardín como una pintura tridimensional desde la vivienda del sumo sacerdote, se descubre la existencia de tres niveles superpuestos que logran crear la impresión de profundidad: el nivel inferior es una superficie de arena que se extiende entre el mirador del *hojo* y la orilla del lago, el segundo nivel está formado por el lago con los grupos de piedras, y el tercer nivel lo constituyen las montañas del fondo, que se han incluido a propósito en la composición. La técnica basada en la incorporación del paisaje del fondo dentro de la composición del jardín se denomina *shakkei*.

Una estructura similar en niveles superpuestos se puede reconocer también en los detalles del jardín, en especial en el *Ryumon-taki*, la cascada en la «Puerta del dragón». La «composición pictórica» sirve en este caso para crear una sensación de profundidad. Vista de frente desde el puente de piedra, la cascada parece una enorme catarata, incluso para las proporciones de la época Heian. Las composiciones rocosas son de un refinamiento tal que podrían haber tomado como modelo la pintura paisajística china. La «Piedra de la carpa», una piedra con la forma de una carpa saltando la cascada, también es un motivo importado de China. La carpa que pasa la «Puerta del dragón» simboliza en China el éxito en los estudios, cuando los estudiantes aprueban los exámenes que les permiten acceder a los cargos gubernamentales.

Williams escribe al respecto: «La carpa es considerada como un símbolo del coraje por sus fuertes escamas. Se la admira entre otras cosas porque nada en contra de la corriente. También es símbolo de la perseverancia. Del esturión se dice que en la tercera luna de cada año nada a contracorriente por el río Amarillo hasta llegar a las fuentes de las montañas. Según la leyenda, aquellos esturiones que consiguen superar los rápidos del río más allá de la ‹Puerta del dragón›, llegan a convertirse en dragones. De ahí que este pez represente la capacidad literaria y el éxito en el estudio».[32]

Justo delante de la cascada se encuentra un puente compuesto por tres bloques planos de piedra. Conduce a una pequeña senda que desemboca en una garganta en miniatura sobre la que se ha colocado una piedra a modo de puente. En opinión de la historiadora del arte Wybe Kuitert, esta composición ha sido claramente realizada

bajo la influencia del arte chino. Considera de origen chino la idea de trazar un pequeño sendero de ancho irregular y delimitarlo con piedras, así como construir una garganta en miniatura a la orilla del lago, justo enfrente del edificio principal.[33]

En *Tenryu-ji* existen otros elementos que presentan puntos de contacto con la jardinería china de la dinastía Song: las siete rocas que aparecen en el lago cerca de la cascada. Estas grandes rocas representan a las «Islas de los bienaventurados» y posiblemente sean el grupo de este tipo más hermoso de la época. La atrevida composición de piedras es una bella evocación única de las maravillas de las montañas en las míticas «Islas de los bienaventurados».

Tanto el *Saiho-ji* como el *Tenryu-ji* anuncian un nuevo estilo en la jardinería japonesa. La cascada y la piedra de la meditación del *Saiho-ji* constituyen importantes aportaciones al desarrollo de la jardinería en Japón, del mismo modo que las islas míticas, los puentes y la cascada del *Tenryu-ji*, presentan técnicas compositivas inspiradas en la pintura paisajística de la dinastía Song. Ambos jardines tienen en común la abstracción progresiva de las manifestaciones naturales. Con ello están remitiendo ya al nuevo e inconfundible estilo Muromachi.

Los jardines palaciegos de los shogunes Kitayama y Higashiyama

Kinkaku-ji

El *Saiho-ji* y el *Tenryu-ji* se convirtieron en modelos de los jardines palaciegos de los shogunes Ashikaga, que intentaron guiar al país por nuevos rumbos no sólo políticamente, sino también como mecenas. Su principal afición era el arte y en especial la pintura china. Se les consideraba grandes protectores de lo que entonces era el arte «moderno», el arte de la dinastía Song. Además simpatizaban en gran medida con el nuevo budismo zen en vías de propagación. El retiro a una villa palaciega después de abdicar de los cargos militares y políticos para consagrarse a una vida monacal según las leyes del budismo zen, formaban parte de la tradición familiar de estos shogunes. Los jardines de esta villas constituyen una variación más del prototipo de lago con isla que conocemos de la tradición de la época Heian. Son demasiado elegantes y lujosos para poder incluirlos dentro de los sencillos jardines zen.

Ashikaga Yoshimitsu, el primer shogun Ashikaga, mandó remodelar el *Kitayama dono* para que fuera su residencia cuando se retirara. *Kitayama dono*, la «Villa en las montañas», era una villa palaciega al estilo shinden que Saionji Kintsune hizo construir en la época Kamakura. Yoshimitsu llamó a la propiedad *Rokuon-ji*, «Templo del bosquecillo de las gacelas», haciendo referencia al famoso Bosque de las gacelas en Benarés, donde Gautama Buda pronunció su primer sermón tras la iluminación. El palacio se llama hoy en día *Kinkaku-ji*, «Templo del pabellón dorado». El nombre se debe a que uno de los pabellones tenía una cubierta dorada que es además el único que ha sobrevivido a los estragos del tiempo.

El edificio sigue claramente los modelos de la China meridional. Se trata de una elegante construcción de madera de tres pisos. En la planta baja se encuentran las salas de recepciones para los invitados, en el segundo piso las habitaciones de trabajo y en el tercer piso un templo privado para la meditación zen. La planta baja, un espacio amplio y abierto, recuerda a los edificios de los palacios shinden de la época Heian. Pero el piso superior con sus ventanas campaneiformes demuestra que un nuevo estilo se estaba abriendo camino –el estilo arquitectónico de los templos zen.

Aunque existe un pequeño sendero alrededor del lago, el jardín todavía estaba concebido de modo que la mejor manera de apreciar su belleza fuera paseando en barca. En este sentido se incluye por completo dentro de la tradición de la época Heian. Quizá el conjunto se adaptara sobre todo a la contemplación del «Pabellón dorado» que, por aquel entonces, aún estaba rodeado por gráciles edificios de estilo shinden que otorgaban al jardín un marco rectangular. El lago se divide en dos partes, una interior y una exterior: la parte interior se encuentra delante del lujoso pabellón principal y está separada de la parte exterior por una gran península y una isla alargada; en ella sólo encontramos algunas pequeñas rocas a modo de islas. La orilla de la parte exterior está afianzada con piedras y todo el conjunto crea la ilusión de que se encuentra más lejos. Justo delante de la cara meridional del «Pabellón dorado» se levantan las tradicionales islas de las tortugas y las grullas. Frente al desembarcadero, delante de la cara occidental, aparecen otras dos islas de las tortugas que podemos interpretar desde un punto de vista iconográfico. La primera de las tortugas vuelve la cabeza hacia el pabellón como si llegara al mismo y la segunda, que gira la cabeza en la otra dirección, es una tortuga alejándose de él.

Dos fuentes adornadas con algunas piedras manan al pie de las colinas en el norte del «Pabellón dorado». Aquí se encuentra también una cascada-puerta del dragón con la legendaria piedra de las carpas que Yoshitsune retomó del jardín primitivo de Saionji Kitsune. Tras la muerte de Yoshitsune, el palacio fue utilizado como monasterio budista.

Ginkaku-ji

Siendo todavía niño, Ashikaga Yoshimasa (1435–1490), nieto de Ashikaga Yoshimitsu, se hizo cargo del shogunado como octavo shogun Ashikaga. Yoshimasa, sin embargo, no tenía demasiado interés por sus cargos políticos y militares, y terminó convirtiéndose en uno de los mayores mecenas de Japón. En 1473, durante las sangrientas guerras civiles de Onin que provocaron la completa destrucción de Kioto con sus elegantes palacios, Ashikaga Yoshimasa cedió todos los asuntos de gobierno a su hijo para poder dedicarse por completo a la ampliación de su magnífico palacio en las afueras de la ciudad. Este palacio, *Higashiyama dono*, fue durante mucho tiempo el foco de la vida cultural en Japón e incluso dió nombre a una época. Así se habla de la cultura Higashiyama. Al morir Ashikaga Yoshimasa, el palacio se convirtió en un templo zen que recibió el nombre de *Jisho-ji*. El templo se conoce popularmente como *Ginkaku-ji*, «Templo del pabellón plateado», aunque no sabemos si el pabellón era realmente plateado o si no fue más que un sueño de Yoshimasa.

El «Pabellón plateado» se realizó unos ochenta años después de que el abuelo de Yoshimasa mandara construir el «Pabellón dorado» que ya hemos comentado. El pabellón de Yoshimasa también estaba inspirado en el *Saiho-ji*, el «Templo de los aromas occidentales» del famoso Muso Kokushi. Aunque por supuesto interpreta de una forma completamente diferente la idea del *Saiho-ji*.

El modelo del «Pabellón plateado» fue el *Ruri-den*, un edificio que Muso Kokushi había proyectado para el *Saiho-ji*. A diferencia del «Pabellón dorado» de su abuelo Yoshimitsu, este edificio tiene sólo dos plantas. En el segundo piso se encuentra una estatua de Buda, un Buda de la

La parte del jardín con lago e islas que recuerda
a los modelos Heian. En el centro vemos el
senkei-hashi, el puente del árbol del amor delante del «Pabellón de Oriente», togudo.
En este pabellón se puede visitar una estancia
considerada como uno de los ejemplos
más antiguos y puros de la arquitectura interior shoin.

Centro del lago delante del «Pabellón dorado».

La roca de la carpa en el Ryumon-taki, la «Casca-
da junto a la puerta del dragón», al pie de la
montaña situada al norte del «Pabellón dorado».
Fotografía: Ken Kawai

El «Pabellón dorado» en las montañas al norte
de Kioto fue construido por Ashikaga Yoshimitsu
en torno a 1394, convirtiéndose en el centro de
la cultura japonesa hasta la muerte del mismo
en el año 1408.

misericordia. La planta baja, que cuenta con una vista fascinante del jardín, era utilizada para la meditación.

Al igual que su modelo, el *Saiho-ji* de Muso Kokushi, el *Ginkaku-ji* se estructura en varias partes, la inferior de las cuales ha sido concebida para pasear. Como en el *Saiho-ji*, la parte superior del jardín es una especie de jardín de paisaje seco en la ladera escarpada de un monte.

El «Pabellón plateado» y la sala con la estatua de Buda Amida son los únicos edificios conservados de las doce construcciones primitivas del *Ginkaku-ji*. Ya no es posible volver a contemplar el aspecto primitivo del conjunto. Este jardín también debía estar rodeado por el marco ortogonal de los edificios que imprimían su carácter a todo el conjunto.

La parte inferior es un jardín paradisíaco con lago e islas que ya conocemos de la época Heian, aunque no resulta muy apropiado para los paseos en barca. Más bien se había proyectado como un jardín para pasear. A pesar de todo, en el plan original se incluía un edificio para las barcas. Una de las atracciones del jardín es la cascada *Sengetsu-sen*, la «Fuente donde se baña la luna». El nombre de la cascada ilustra su significado mitológico: en ella se purificaba el reflejo de la luna.

El *Ginkaku-ji*, tal como lo vemos en la actualidad, no es más que un pálido reflejo del conjunto original proyectado por Yoshimasa. Desgraciadamente no consiguió concluir sus planes antes de morir en el año 1490. Más tarde, el palacio se fue derrumbando y fue saqueado varias veces. El *Ginkaku-ji* no se comenzó a restaurar y conservar hasta comienzos del siglo XVII.

Dos rasgos del jardín del *Ginkaku-ji* prenuncian ya la técnica del jardín de paisaje seco que alcanza su pleno desarrollo en la época Muromachi: por un lado su paisaje seco inspirado en el del *Saiho-ji* que se sitúa en una pen-

diente de la parte superior del jardín cerca de la *ocha no i*, la «Fuente del agua del té». Y por otro lado el hecho de que el mar y la montaña se representan mediante una simple superficie de arena con un montículo de arena. Se le llama *ginshanada*, que literalmente significa «arena plateada y lago abierto». La *ginshanada,* es una blanca superficie de arena rastrillada artísticamente formando ondas que aluden a las olas del mar. En el centro se levanta el *kogetsudai*, la «colina vuelta hacia la luna». El *kogetsudai* es un montículo de arena que copia el monte Fuji. La auténtica novedad de este jardín, de influencia permanente en toda la jardinería japonesa, reside en que el mar y la isla se representan con una especie de escultura de arena. La superficie y el montículo siguen siendo en la actualidad un motivo central en la jardinería de Japón. Lo que no sabemos es si estos dos elementos, realmente extraños para su época, son obra del propio Ashikaga Yoshimasa. Se citan por primera vez unos cien años después de su muerte en el *Tenryu-ji* de 1578 en un poema de un monje zen.[34]

El jardín de un monje y pintor zen

Joei-ji

Al buscar otros precursores del prototipo de jardín predominante en la época Muromachi, se tropieza con un jardín muy lejos de Kioto, en Yamaguchi, en el oeste de Japón: *Joei-ji*, el «Jardín del eterno esplendor». Éste es uno de los cuatros jardines atribuidos al famoso pintor zen Sesshu (1420–1506). Aunque no fue él mismo quien le dió nombre, sino que proviene de los miembros de la secta zen Rinzai de comienzos de la época Meiji. Se divide en dos partes, como el *Saiho-ji* y el *Ginkaku-ji*: una parte tradicio-

nal dominada por el lago y las islas, y una segunda parte formada por un jardín de paisaje seco. Sin embargo, a diferencia del *Saiho-ji* y el *Ginkaku-ji*, el jardín de paisaje seco no se encuentra en un declive, sino en una superficie levemente ondulada delante del edificio principal del templo que está marcada por algunos *karikomi*, pequeños arbustos recortados de hoja perenne.

Yo me inclino a ver en el jardín del *Joei-ji* un claro precursor del clásico jardín de paisaje seco de los templos *Ryoan-ji* y *Daisen-in*, aunque muchos estudiosos no compartan mi opinión. Mirando desde el edificio principal en el sureste del jardín, el tradicional jardín con lago e isla queda relegado al fondo casi por completo. La importancia recae por primera vez en el jardín seco. De aquí al jardín del *Ryoan-ji* sólo hay un paso: únicamente levantar un muro alrededor del paisaje seco y colocar las piedras en la arena.

Como ya es habitual, la corriente de agua parte del norte del jardín, donde es conducida a través de la cascada y la puerta del dragón, *ryumon no taki*. La cascada cuenta con una hermosa roca de las carpas. Siguiendo el curso del arroyo se llega a un pequeño estanque, después aparece un puente en forma de arco que comunica dos penínsulas y, por último, llegamos a un lago con la forma del ideograma chino que representa el «corazón», *shinji no ike*. Cerca del puente se eleva una roca gigantesca, el *Horai*, símbolo de la «Isla de los inmortales». En el lago se encuentran cuatro islas que se ordenan en una configuración muy armónica: una isla de las grullas, una isla de las tortugas, una isla de la roca y una isla con la forma de un barco.

Unas cuarenta rocas escogidas cuidadosamente acentúan el carácter del jardín seco entre el lago y el edificio principal. La mayoría de los investigadores interpretan es-

tas piedras como una adaptación del motivo Sanzan-go-gaku, el motivo de «los tres montes y las cinco cumbres». Se trata de una configuración iconográfica importada de China y compuesta por siete montes chinos idealizados y un monte japonés, el Fuji. Dos tipos de azaleas florecen en mayo y junio delante de las rocas, haciendo alusión a la niebla o las nubes que envuelven los montes.

Loraine Kuck considera las rocas planas colocadas delante del edificio principal del *Joei-ji* como el «rasgo característico del jardín Muromachi o, por lo menos, una prueba de que este jardín se encuentra ya bajo la influencia del estilo de la época Muromachi». Además constata la existencia de similitudes entre las piedras del jardín de paisaje seco del *Joei-ji* y el estilo pictórico del monje y pintor zen Sesshu, caracterizado «por las líneas rectas y los ángulos claros». Kuck opina que en este jardín «se cierra el círculo que une los jardines y la pintura pisajística, ya que la pincelada del pintor capta la esencia de las rocas y viceversa, las composiciones rocosas del jardín evocan la pincelada del pintor»[35]. Por esta razón acuñó el término «jardines pintados» para designar a estos jardines que, como el *Joei-ji*, sólo tienen explicación en estrecha conexión con la pintura paisajística y que presentan un parecido grado de abstracción del aspecto externo de la naturaleza.

En la idea básica del jardín se ha tenido presente que el espectador debía contemplarlo desde tres perspectivas diferentes. Para ello se han previsto tres lugares en el jardín: el mirador del edificio principal, cuya forma primitiva situaba al *kare-sansui*, el jardín seco, en el centro de la imagen. Por desgracia no se ha conservado el mirador primitivo y el posterior resulta un poco elevado para conseguir todo el efecto que había previsto el autor del jardín. El espectador obtiene otra perspectiva desde el pequeño

Composición de rocas sobre musgo y arena rastrillada.

pabellón del té del bosquecillo de bambú situado en el oeste del jardín. En este caso el centro de la imagen está ocupado por el lago con sus islas, el puente y la cascada. Saito Tadakazu cree que el lugar del pabellón del té estaba ocupado originariamente por una torre desde donde se contemplaba el jardín. Su opinión se basa en que los modelos del *Joei-ji*, el Saiho-ji y el Kinkaku-ji, se podían contemplar desde un pabellón de dos pisos. Por tanto es posible suponer que el autor del *Joei-ji* tenía pensado conseguir un efecto parecido. De hecho podemos imaginar lo hermosa que sería la panorámica desde una torre semejante.

Una tercera perspectiva se abre al espectador desde un lugar al este del *kare-sansui*, desde allí se vería el reflejo del mirador (por desgracia desaparecido) en el agua del lago[36]. Las tres perspectivas demuestran que las formas naturales del jardín contrastan con las formas ortoganales del edificio siguiendo un refinado método estético. Desgraciadamente, en la actualidad no podemos imaginarnos este efecto, puesto que la mayoría de los edificios ya no existen.

El nuevo prototipo de jardín de la época Muromachi: kare-sansui, el jardín de paisaje seco

El conocido experto japonés Shigemori Mirei dice que en Japón existen en total 323 jardines kare-sansui y 700 jardines con agua de importancia para la historia del arte. Shigemori Mirei divide el desarrollo del kare-sansui en cuatro grandes periodos. En el primero, la época prehistórica, los jardines kare-sansui son equivalentes al *iwakura* o *iwasaka*, agrupaciones de rocas adoradas en el sintoísmo primitivo como morada de los dioses. Un ejemplo de estos jardines se puede contemplar en el relicario Achi en Kurashiki. En

el segundo periodo, que abarca las épocas Nara y Heian, los jardines de paisaje seco son muy raros y sólo aparecen formando parte de los jardines con lago. Shigemori Mirei cita como ejemplo el jardín del templo Motsu-ji. En el tercer periodo, que abarca toda la época Kamakura, el *kare-sansui* aparece todavía combinado con el jardín de lago, pero ya no es un elemento subordinado y menor. Un ejemplo destacado de esta variación en la que coexisten el jardín con lago y el jardín seco, es el jardín del templo Saiho-ji. Según Shigemori Mirei, el último gran periodo abarca desde el final de la época Kamakura hasta la época moderna. Al comienzo de esta larga fase de la historia de la jardinería japonesa encontramos, por primera vez, un jardín que responde por completo al estilo kare-sansui. Para Shigemori Mirei, este cambio se produce con la cultura Higashiama en la época Muromachi[37]. Yo pienso que el kare-sansui de este último periodo constituye el segundo gran prototipo del jardín japonés. Este prototipo no sólo ha sido una fuente de inspiración constante hasta los jardines japoneses contemporáneos, sino que también –y en una proporción bastante alta– ha inspirado a los jardineros extranjeros y occidentales.

Shigemori Mirei ha estudiado minuciosamente la etimología del término *kare-sansui*, favoreciendo algunas conclusiones interesantes que quisiera resumir aquí: según consta en las fuentes documentales, el término se empleó por vez primera en el *Sakutei-ki* para designar pequeños paisajes secos dentro de un gran jardín con lago al estilo de la época Heian. Cuando se redactó el *Sakutei-ki,* el concepto *kare-sansui* era un término técnico empleado tan sólo en el lenguaje especializado de los jardineros. A lo largo de los siglos fue asumiendo el significado de otras palabras de pronunciación semejante, entre ellas *ka-*

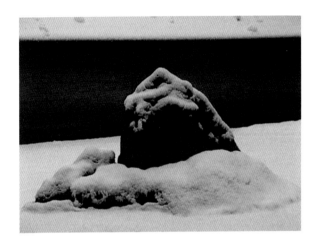

*Detalle de un grupo de rocas en el kare-sansui,
el jardín de paisaje seco, del templo Ryoan-ji, en
Kioto.*

sensui, que literalemente significa «pseudopaisaje de agua
y montaña». *Ka-sensui* solía designar sencillamente un
jardín entendido como «pseudopaisaje», paisaje copiado.
El *kare-sansui* absorbió el significado de la palabra *kare-
sensui,* que significa «paisaje seco con agua y montaña»,
y en general designaba paisajes en miniatura. El término
adoptó por último el significado de la palabra *kara-sensui,*
«paisaje con agua y montaña al estilo de la dinastía Tang».
En esta palabra podemos ver lo importante que fue la influencia china en la jardinería japonesa. Al aunar todos
estos significados, el *kare-sansui* terminó designando a
finales de la época Muromachi el nuevo prototipo de jardín japonés, el jardín de paisaje seco.[38]

Ryoan-ji

El jardín de rocas del templo *Ryoan-ji,* el «Templo del
dragón apacible», situado en el noroeste de Kioto, es el
ejemplo más puro de un kare-sansui: sin ningún elemento
acuático, sin ninguna planta ni ningún árbol. El jardín se
encuentra en la cara sur de la vivienda del sumo sacerdote,
el *hojo,* y está rodeado por un muro bajo. Este jardín es
uno de los ejemplos más hermosos de lo que para mí es
un rasgo constante en la estética japonesa: la simbiosis
figurativa del ángulo recto y la forma natural.

Una xilografía del *Miyako meisho zue,* el manual ilustrado de los monumentos famosos de Kioto del año 1780,
nos ofrece una vista de conjunto de toda la zona del
templo: en la parte inferior se encuentra un jardín con
lago al estilo de la época Heian. Aquí se levanta hoy día el
templo principal del complejo, *Daiju-in.* El jardín fue realizado a comienzos del siglo XI por Fujiwara Saneyoshi.
Hosokawa Katsumoto, uno de los hombres más poderosos del clan Buke de Kioto, adquirió el terreno del actual

Daiju-in en 1450, se asentó allí y fundó el templo zen *Ryoan-ji* en la parte superior de la antigua zona del templo.
El *Ryoan-ji* fue destruido por completo durante las guerras
civiles de Onin. Después de la muerte de Katsumoto en
1473, su hijo Hosokawa Masamoto reconstruyó el templo
en 1488. Es posible que el jardín con rocas date de esta
época.

No sabemos quien fue el creador de esta obra magistral,
no sólo de la jardinería japonesa, sino de la jardinería en
general. Hace poco, Karl Hennig recopiló en un gran estudio sobre los jardines kare-sansui quince teorías diferentes
que circulan en la actual bibliografía especializada como
respuesta a esta pregunta. Hennig concluye con la tesis
relativamente dudosa de que los autores de este jardín fueron algunos *Kawaramono,* los primeros artistas de la jardinería en Japón. No excluye la posibilidad de que los *Kawaramono* hubieran colaborado también con monjes zen.
Sea como fuere, en una de las cinco rocas del jardín se han
encontrado las firmas grabadas de dos *Kawaramono.*[39]

El jardín sufrió varias transformaciones leves a lo largo de
los siglos. En un caso se alteró la superficie y en otro se
reformaron las galerías y los muros que circundaban el jardín. Quizá fuera en esta época cuando también cambiara
su función. En cualquier caso, en un grabado del *Miyako
rinsen meisho zue* de 1799 se puede ver que, antiguamen-
te, se podía acceder a este jardín. Lo que hoy sería inconcebible.

Es de suponer que en un principio el jardín estaba concebido para que el espectador contemplara desde el mirador
del *hojo* el paisaje más allá del muro del jardín. Una vez
más estamos ante un ejemplo del *shakkei,* el arte que incorpora a la composición general el paisaje situado fuera
del jardín. Por desgracia ya no es posible contemplar aque-

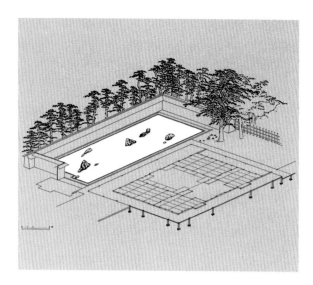

Dibujo a escala de la vivienda del sumo sacerdote, hojo, y del kare-sansui en la parte meridional. Este jardín de paisaje seco es famoso por la cuidada estética con que se han repartido quince piedras sobre la superficie de arena.

lla panorámica, porque los árboles en torno al jardín son tan espesos que no permiten ver el paisaje por encima del muro.

El muro oriental del jardín así como el mirador son relativamente nuevos. Quizá se construyeran después del gran incendio del año 1797. Según las fuentes antiguas, el jardín se cerraba hacia el oeste con una galería abierta lateralmente que permitía contemplar otro jardín.

Todo esto en cuanto a la historia del *Ryoan-ji,* que por supuesto no logra «explicar» esta obra única porque, como toda gran obra de arte, ofrece al espectador un aspecto siempre nuevo e imponente.

El jardín ocupa una superficie aproximada de 340 metros cuadrados. Lo que supone de nuevo y original en la jardinería de la época Muromachi es que esta superficie aparece completamente vacía. Aparte de un poco de musgo al pie de las quince rocas colocadas sobre la arena, no hay ninguna planta. No será hasta la época Edo (siglo XVII a XIX) cuando encontremos algo similar. El artista Akisato Rito, que tomó parte en la reconstrucción del *Ryoan-ji* tras el incendio de 1797, publicó por aquel entonces una xilografía que representa una copia estereotipada de este jardín, que nos presenta una superficie de arena con quince rocas. Por tanto podemos suponer que, hacia finales del siglo XVIII, se habían puesto de moda los jardines del estilo del *Ryoan-ji.*

En el *Ryoan-ji* se han dispuesto quince rocas sobre una superficie vacía cubierta con arena rastrillada; estas rocas se ordenan en tres grupos de siete, cinco y tres. A mi modo de ver, todas las hipótesis sobre el significado de las mismas resultan insuficientes. Ya se intenten explicar con una «geometría secreta» o con las «reglas de equilibrio entre los números impares» –el resultado nunca es satisfactorio. Ni siquiera me convence de verdad la teoría defendida en repetidas ocasiones, partidaria de que el jardín del *Ryoan-ji* es una reproducción a vista de pájaro del mar con algunas islas. Por no citar la tesis en favor de que las rocas del *Ryoan-ji* representan crías de tigre nadando en el mar. Me parece mucho más acertado interpretar este jardín de piedras desde el punto de vista existencial. Al fin y al cabo, los monjes zen habían participado en su creación y todo el conjunto debía servir para la meditación. Si se aborda el jardín desde este punto de vista, lo primero que se aprecia es que la composición es plana por completo. El espectador se siente impulsado formalmente a contemplarlo sentado. No debemos olvidar que el verbo «sentarse» en japonés tiene también el significado de «meditar».

En mi opinión, aunque por supuesto no se pueda probar, la solución al enigma de este jardín reside en la técnica de la meditación zen; según la misma, el sujeto debe concentrar su atención en un punto. Pero raras son las veces en que los historiadores del arte y la arquitectura están informados sobre las técnicas de la meditación, con lo que no tienen acceso a esta maravillosa clave para desentrañar los secretos del *Ryoan-ji.*

El zen siempre tuvo el carácter de una ciencia en su relación con la meditación y, en este sentido, es muy distinta a nuestra filosofía occidental con sus juegos intelectuales y a nuestra religión que sólo conoce la «fe». El zen parte siempre de los hechos. Y el primer hecho con el que se enfrenta el hombre es su propio cuerpo. La conciencia se encuentra en el centro del cuerpo y los sentidos en la periferia. Con ayuda de los sentidos, el yo corporal puede transmitir al centro, a la conciencia, datos sobre los objetos del mundo exterior. Las técnicas de meditación sirven para guiar la energía del hombre –que, en realidad, está dirigida

Ryoan-ji, uno de los ejemplos más importantes que ilustran la belleza de un espacio vacío y el contraste entre el ángulo recto y la forma natural.

Daisen-in, el «gran templo del ermitaño», en Kioto: vista enmarcada de la piedra con la forma del barco del tesoro y, detrás la piedra, con la forma del monte Hiei.

hacia el exterior, hacia los objetos del mundo– hacia dentro, hacia el centro de la conciencia. Los objetos del *Ryoan-ji* –es decir, las rocas– se han ordenado con tanta perfección en el espacio –es decir, en la superficie de arena– que, durante la meditación, sus contornos se van borrando hasta que las rocas y la arena se perciben como una gran unidad. De esta forma se invierte la corriente de energía de dentro hacia afuera y el sujeto vuelve hacia su propio yo, hacia su conciencia. La experiencia de la vuelta espontánea a la propia conciencia se llama la experiencia de la «nada», del «vacío», de la «conciencia que no juzga» o del «abandono del propio yo», por citar algunos términos con los que se ha intentado describirla. Esta experiencia no se puede explicar con términos filosóficos ya que está al margen de toda lógica, porque es una experiencia existencial del individuo. «La conciencia se remite a sí misma, el círculo se ha cerrado. Has vuelto a tu propio yo».[40]

No necesito recalcar que la superficie de arena delante de un templo budista o la superficie blanca de papel de una pintura zen, no nos pueden aportar una experiencia semejante sin hacer nada por ello. Pero en cambio, *sin* la relación sutilmente calculada entre objeto y espacio, entre forma y «no forma», tampoco podemos alcanzar esta experiencia. Quizá el sentido más profundo de la jardinería y la arquitectura consista en ofrecernos la posibilidad de vivir esta experiencia. El jardín del *Ryoan-ji* no simboliza nada, o, para evitar el peligro del malentendido: el jardín del *Ryoan-ji* no simboliza. Tampoco representa una belleza natural procedente de un mundo real o mítico. Más bien creo que se trata de una composición abstracta de objetos «naturales» en el espacio, cuya función es incitar a la meditación. Por tanto se debe incluir en el terreno del arte existencial del vacío y la nada.

Daisen-in

El *Daisen-in*, el «gran templo del ermitaño», es un templo secundario del *Daitoku-ji*, el complejo religioso más grande e importante del budismo zen en Japón. El *Daitoku-ji* se encuentra en el norte de Kioto, pertenece a la secta budista Rinzai y fue fundado en el año 1326 bajo el maestro zen Daito Kokushi, un contemporáneo del citado Muso Kokushi. El *Daisen-in*, sobre el que queremos hablar en este apartado, fue construido en 1509 por Kogaku Shuko en el terreno del *Daitoku-ji*. El jardín y el pabellón principal del *Daisen-in* se concluyeron posiblemente en 1513.

Karl Hennig ha presentado un estudio sobre el *Daisen-in* donde trata en profundidad el problema del autor o los autores de este jardín. En sus análisis llega a la conclusión de que el propio Kogaku Shuko tuvo que haber realizado los primitivos segmentos del jardín. Es posible que algunos *Kawaramono*, artistas jardineros profesionales, así como el famoso pintor Soami participaran en el proyecto de este jardín. En cualquier caso, Soami fue el autor de algunos de los paisajes monocromos «chinos», trascendentales para la historia del arte, que aparecen en las puertas correderas del pabellón principal.

Este pabellón, el *hondo*, está rodeada por jardines en los cuatro lados. El edificio en sí se concibe en torno a un eje que discurre de norte a sur y divide el edificio por la mitad en dos hileras de tres habitaciones cada una. La división espacial del *hondo* es típica del primitivo estilo shoin de la época Muromachi.

La concepción estética del jardín obliga al espectador a contemplarlo como si estuviera leyendo, del noreste al suroeste. En esa dirección discurre también el «arroyo» seco que, de este modo, ya sea consciente o inconscientemente, se ha trazado según los principios geománticos de la época Heian. Este jardín es un ejemplo insuperable por la fuerza impresionante de su simplicidad. Pero, a diferencia del jardín del *Ryoan-ji*, presenta un claro significado simbólico. Simplificando, podríamos decir que se trata de un jardín de paisaje seco que incluye varios paisajes abstractos en una calculada secuencia dentro de un espacio reducidísimo. El famoso jardín del noreste en forma de L es una reproducción del mítico monte Horai y sus ríos. Las matas recortadas de camelias representan al monte Horai. Una corriente de agua insinuada por los cantos blancos «nace» en este monte, «discurre» a través de los «rápidos» y se divide en dos «brazos» que se ensanchan progresivamente; uno de ellos gira hacia el oeste pasando junto a dos islas de las tortugas y, por último, entra en el jardín norte. *Chukai*, el jardín norte, es una superficie vacía cubierta con cantos rodados que simboliza el mar. El *Chukai* del noreste también se puede llamar jardín interior, debido a su escasa extensión y a que está limitado por los elementos arquitectónicos. En él se encuentra uno de los grupos triádicos de piedras más hermoso de Japón.

El otro brazo «discurre» por encima de las piedras y un dique, «desembocando» al final en el gran jardín de la cara meridional del *hondo*. En el rincón suroeste de esta superficie de guijarros blancos se encuentra un árbol Bodhi, una higuera; según la tradición budista, Gautama Buda tuvo la iluminación debajo de una higuera. Este árbol hace alusión a un entendimientro más profundo del jardín.

Aquí se representa simbólicamente la vida del hombre. Sigue su curso partiendo de las cumbres de los inmortales, se desborda en los rápidos de la juventud y discurre sosegado hacia la vejez sobre las piedras y los diques de la madurez. Ahora quisiera citar algunas de las piedras simbó-

licas que se interponen en el camino de la vida: hay una piedra en forma de barco del tesoro junto a una pequeña piedra en forma de tortuga. Estas dos piedras han de contemplarse juntas: el barco del tesoro representa la experiencia que acumula el adulto, la tortuga nadando contra la corriente es símbolo de los vanos intentos por volver a la juventud. El río de la vida termina en la experiencia del vacío que se representa con la gran superficie blanca de cantos rodados en el jardín meridional. Los últimos obstáculos que el río de la vida ha de superar ya no se simbolizan con rocas, sino mediante dos montes cónicos de cantos rodados. Estos obstáculos son mucho más fáciles de superar que las piedras de la vida.

El jardín ofrece otras posibilidades de interpretación esotérica aún más profundas, pero sólo asequibles a los expertos en zen. Para una persona versada en la filosofía zen, las rocas son las dificultades que encuentra al intentar responder la pregunta intemporal *koan*, «¿Quién soy yo?» –la única cuestión importante (*koan* es una incógnita o una fórmula sobre la que un monje debe meditar hasta que descubra su sentido existencial; nota del traductor).

Bajo la perspectiva de la historia del arte, la peculiaridad de este jardín reside en que, por primera vez, enlaza los temas del mito chino del monte Horai con la simplicidad del jardín de paisaje seco. También es original en cuanto consigue introducir en un espacio reducidísimo un gran número de rocas de distinta forma, tamaño, color y tipo. Como ya ocurría en el pasado, las formas naturales del jardín se compaginan con el marco ortogonal de los templos y los muros del jardín. El *Daisen-in*, sin embargo, presenta una peculiaridad en la combinación de arquitectura y naturaleza; en ningún otro lugar se encuentra una yuxtaposición tan estrecha de paisaje pintado y paisaje «cons-

El jardín como una pintura tridimensional. Un pequeño jardín medieval de paisaje seco perteneciente a un templo zen: el Daisen-in, en Kioto.

truido». En el *Ryoan-ji* se contempla un jardín concebido como una pintura, mientras que en el *Daisen-in*, el espectador se ve completamente rodeado por un jardín en parte «construido» y en parte pintado.

Shinju-an

El *Shinju-an*, la «Ermita de las perlas», se encuentra exactamente al este del *Daisen-in*; se trata de otro templo secundario en el interior del templo zen *Daitoku-ji* en Kioto. El templo se fundó con este nombre en el año 1491. Tras un examen concienzudo de las distintas teorías de los científicos japoneses sobre el autor de este jardín, K. Hennig llega a la conclusión de que, posiblemente, el jardín fuera

realizado por el poeta Socho a principios del siglo XVI[41]. Otra teoría liga su creación con el maestro de la ceremonia del té Murata Juko (1423–1502), conocido por su estrecho contacto con Ikkyo Osho (1394–1481), un maestro iluminado y un personaje destacado en la cultura de este tiempo.

El jardín situado al este de los aposentos de los sacerdotes es un jardín estrecho del tipo *kare-sansui*. En lugar de arena está cubierto con musgo y aparece rodeado por un seto y no por un muro como el *Ryoan-ji*. La composición numérica y formal de 15 piedras más bien pequeñas formando un motivo ligeramente arqueado, en grupos de 7, 5 y 3, es similar al jardín del *Ryoan-ji*. Pero esta obra no sigue la tradición del jardín meridional del *hojo*, sino que más bien se parece al estrecho jardín oriental del *Daisen-*

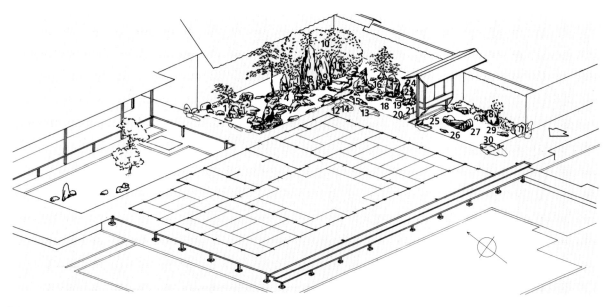

in. Según las fuentes, primitivamente se podía ver por encima del seto el monte Hiei, cuya silueta formaba parte de la imagen del jardín.

En lugar del *Ryoan-ji* y el *Daisen-in*, presentamos el *Shinju-an* por ser un jardín tan sencillo y modesto que, sin no se indicara, muchos ni siquiera podrían adivinar su existencia. Por mi parte tengo que contradecir a todos aquellos que lo interpretan como islas en medio del mar. En mi opinión constituye una composición altamente abstracta y rítmica de rocas naturales en un espacio rectangular dado. Este simple hecho ya constituye un placer para nuestro sentido de la belleza. Las rocas, igual que las notas de una partitura, resaltan frente al seto recortado en ángulo recto y enmarcado ópticamente por las columnas y los aleros del *shoin*. Desde la época Muromachi podemos encontrar en los jardines grupos de piedras que responden a la proporción de 7, 5 y 3, una posibilidad de dividir con armonía un número impar. Interpretar esta proporción como una simple importación de las especulaciones cosmológicas de la China de la dinastía Song, que fueron introducidas en Japón por los sacerdotes zen, supondría no hacer justicia al papel que el 5 y el 7 tuvieron en la métrica de la poesía japonesa desde los tiempos primitivos.

La relación de la época Muromachi con la naturaleza y el arte de la jardinería

Cambios en cuanto al tema, el estilo arquitectónico y el autor

He escogido tres variaciones del nuevo prototipo de jardín en la época Muromachi. Deben ilustrar la peculiaridad del kare-sansui configurado en la época Muromachi. El *Ryoan-ji* es un jardín abstracto de rocas situado en la cara meridional de la vivienda del sumo sacerdote. El *Daisen-in* es un jardín de piedras simbólicas con unas pocas plantas que rodea el pabellón principal del templo. Y el *Shinju-an* es un jardín de rocas más pequeño y cubierto de musgo, situado al este de la vivienda del sumo sacerdote. En comparación con los jardines de la época Heian, los ejemplos de la época Muromachi son bastante pequeños. También se aprecia que la jardinería ha sufrido cambios esenciales en su naturaleza temática y arquitectónica. Es evidente que la concepción del jardín había pasado a manos de los monjes zen y los jardineros-artistas profesionales, los *Kawaramono*.

A continuación hablaremos de forma concisa sobre los tres cambios siguientes: la importancia de la pintura paisajística en los temas de la jardinería, el *Sensui kawaramono* y el estilo arquitectónico shoin.

La importancia de la pintura paisajística

La obra del pintor Sesshu supuso para el arte japonés la independencia de la pintura china imitada durante mucho tiempo. Sesshu adoptó los modelos chinos y los interpretó de tal manera que, partiendo de la imitación del principio,

El Tenryu-ji es quizá el primer jardín en la historia
de la jardinería japonesa que incluye conscientemente en la composición los elementos del
paisaje fuera del jardín en sí. Esta técnica se conoce como técnica shakkei.

paulatinamente se fue desarrollando algo autónomo. El
propio Sesshu, nacido hacia 1420, marchó a China para
perfeccionarse en la técnica de la tinta china. El arte de
las dinastías Song y Yuan fue introducido en el Japón por
monjes zen de origen chino que, desde mediados del siglo
XIII, se asentaron en diversos templos zen en Kamakura.

El historiador del arte Tanaka Ichimatsu cita un primer
«Catálogo de los tesoros del Butsunichi-an», redactado
por los monjes del templo secundario *Engaku-ji* en Kamakura, y termina con la siguiente conclusión: «A juzgar por
las pinturas que se reproducen en el catálogo y cultivan el
estilo de la dinastía Song, podemos suponer que el arte
chino ya tenía por esta época una cierta influencia en
Japón»[42]. Al principio, esta pintura cumplía una función
religiosa, se trataba de retratos de famosos monjes zen o
figuras de Buda delante de un paisaje.

Hasta medidados del siglo XV, bajo el shogunado de los
Ashikaga, no se fundó una *ga-in* autónoma, academia de
arte cuyos miembros solían vivir como monjes y pintores
en el *Shokoku-ji* (uno de los cinco templos zen más importantes de Kioto). Los tres superiores de esta academia,
Josetsu, Shubun y Sotan, consiguieron imponer muy pronto un estilo japonés propio del dibujo a tinta china, que en
seguida se convirtió en el estilo por excelencia en el país.

La importancia de Sesshu radica tan sólo en que libera-
lizó este estilo un tanto académico. Siendo todavía joven,
ingresó como monje en el *Shokoku-ji* y aprendió mucho
en esta particular simbiosis de escuela zen y academia de
arte; pero a los cuarenta años más o menos abandonó
esta institución central de la pintura de la época Muromachi y se dedicó a vivir como un monje y pintor nómada.
La ruptura de Sesshu con la tradición sagrada del paisajismo chino es símbolo de la naciente independencia japo-

nesa de los modelos chinos. Tanaka Ichimatsu valora así la importancia de su obra: «Sesshu se convirtió en la avanzadilla del largo camino hacia la independencia artística del Japón, al romper con las tradiciones del *Shokoku-ji*, despojando sus cuadros de los significados religiosos y llevándolos al campo de la estética pura»[43]. Quizá hubiera sido más apropiado decir «al campo de la naturaleza pura», pues la naturaleza misma se convirtió en el gran tema de Sesshu, que la entendía con un sentido religioso. En su obra ya no es un simple telón de fondo de los retratos piadosos de los grandes santos budistas, ni tampoco se idealiza en las representaciones budistas del paraíso, sino que más bien adquiere su propia dimensión religiosa. En su concepción de la naturaleza se puede rastrear claramente la influencia del zen: acepta la naturaleza como iconografía «religiosa» en el sentido de la filosofía zen. En seguida nos vienen a la mente las palabras del monje zen Dogen (1200–1253) que, al parecer, dijo que «la música del valle y el color de los montes eran la lengua y el cuerpo de Buda»[44]. El monje y pintor zen Hakuin habla de un modo similar cuando dice: «Este es el paraíso del loto, este cuerpo es el cuerpo de Buda». El espíritu que anima estas afirmaciones está muy lejos del de la época Heian, que contraponía un paraíso en el más allá al purgatorio de la tierra. El espíritu de la época Muromachi, en cambio, está marcado por el zen, donde lo sagrado y lo profano, el espíritu y la materia, Buda y los mortales forman una unidad.

Es interesante señalar que Sesshu practicaba el *zazen*, es decir, que entendía la pintura y la jardinería como una especie de ejercicio meditativo. En las fuentes se le atribuyen diversos jardines en el oeste de Japón, aunque esto no se sabe a ciencia cierta. Hemos dicho que concebía la pintura como una especie de práctica religiosa y, por tanto, podemos suponer que cultivaba la jardinería con el mismo espíritu.

Por último quisiera mencionar la predilección de Sesshu por una pincelada que podríamos denominar técnica de salpicaduras. Sesshu aprendió esta técnica en China. Es posible que en sus jardines escogiera aquellas piedras que le permitieran conseguir un efecto semejante a su técnica pictórica.

Como ya hemos dicho, los jardines de la época Muromachi dejan de ser reproducciones escénicas de la naturaleza, tal como ocurría en la época Heian. Más bien tienen una estrecha relación con una pintura nacida de las prácticas religiosas del budismo zen. Por eso no resulta extraño que su concepción estética sea semejante a la pictórica. Los jardines de la época Muromachi no están proyectados para que el espectador los contemple deambulando por él o paseando en barca, sino que están en función de un observador que «experimenta» el jardín desde un punto fijo. Incluso los tempranos jardines con lago de la época Muromachi son especialmente aptos, al contrario de los jardines con lago de la época Heian, para ser contemplados desde un punto fijo. Los jardines posteriores a menudo tienen sólo un estanque «seco» o un arroyo y en general no se puede entrar en ellos.

Así pues, el jardín Muromachi se aparta de la naturaleza en tres sentidos. Primero porque está «construido» como una pintura paisajística, segundo porque se concibe para ser contemplado de lejos y tercero porque progresivamente se va acomodando a la visión monocroma de la pintura paisajística china.

La importancia de los Ishitateso y Kawaramono

¿Quienes fueron los creadores de los jardines de las épocas Kamakura y Muromachi? En la época Heian solían ser proyectados por sus propietarios, es decir, miembros de la nobleza. Tachibana Toshitsuna, autor del *Sakutei-ki*, es un buen ejemplo de la actitud de la nobleza en la época Heian, que consideraba la jardinería como una especie de elegante pasatiempo. En el mismo *Sakutei-ki* aparece un comentario que puede ilustrarlo: «Una vez que se hubieron reconstruido los edificios del *Kaya-in*, desaparecieron todos los que debían ayudar en la configuración del parque. Ni siquiera aquellos que habían sido invitados ni aquellos a los que se les hubiera podido confiar el trabajo eran del gusto del señor del *Kaya-in*. Con lo que Fujiwara Yorimichi ejecutó el trabajo completamente solo».

Si se quiere desentrañar este pasaje un tanto enigmático, hay que partir de dos suposiciones: que el noble Fujiwara Yorimichi proyectó su propio jardín y que ya en la época Heian existía un grupo de jardineros que ofrecían sus servicios a cambio de una remuneración. ¿Quienes eran estas gentes?

Para responder a esta pregunta debo remontarme un poco más en el tiempo. Durante la época Kamakura ya no eran los aristócratas mismos los que proyectaban los jardines. Sabemos, por ejemplo, que el *Sansui narabini yakeizu*, un importante manual de 1466 sobre el arte de la jardinería de la época Kamakura, fue escrito en el *Shinren-in*, un templo secundario del *Ninna-ji* en Kioto. El *Ninna-ji* era un centro de los llamados *Ishitateso*, monjes de la secta budista Shingon que se ocupaban de la construcción de jardines y que habían alcanzado un cierto grado de profesionalismo en el arte de la jardinería. Los *Ishitateso* fue-

ron los autores de muchos jardines de aquella época, por eso no es de extrañar que recogieran en un libro los secretos de la jardinería.

A lo largo de los siglos aumentó tanto este interés semi-profesional por los jardines, que la jardinería se terminó convirtiendo en la época Muromachi en un dominio casi exclusivo de los monjes zen. Por supuesto que también fue decisivo el apoyo que la clase dominante de los samurais prodigó al zen siempre que pudo. El monje zen Muso Kokushi adquirió mucha fama como constructor de jardines. Posiblemente fuera el autor del *Saiho-ji* y el *Tenryu-ji*, dos de los jardines más famosos de la época. Algunos historiadores japoneses incluso han llegado a considerarle el autor de los jardines de paisaje seco de esta época.

Pero en la creación de los jardines japoneses no sólo participaron los nobles, los monjes y los pintores zen, todos pertenecientes a las clases privilegiadas, sino también gentes que provenían del otro extremo de la escala social: los *Kawaramono*, en sentido literal «gentes de la orilla del río». Con esta palabra se designaba a aquellas gentes que subsistían pobremente en las riberas de los ríos. Desde el punto de vista social casi tenían el estatus de parias. Se los toleraba en las estrechas franjas de tierra a orillas de los ríos, tan sólo porque nadie había reclamado el derecho de propiedad de las mismas. Vivían allí trabajando como humildes siervos o realizando tareas que se consideraban indecorosas por motivos religiosos, como por ejemplo el sacrificio de los animales.

Al principio se ocuparon de los tabajos pesados en los jardines, sobre todo del transporte de tierra –en la mayoría de los casos eran trabajadores forzados–. También se les ordenaba buscar piedras y árboles en los alrededores de Kioto para emplearlos después en los jardines.

Los *Kawaramono* fueron adquiriendo con el tiempo una rica experiencia en la construcción de jardines, hasta el punto de que los shogunes Ashikaga los admiraban por sus capacidades y poco a poco fueron adquiriendo una mayor consideración social. Uno de los personajes más importantes entre los *Sensui Kawaramono*, aquellas «gentes de las orillas del río» que fueron ascendiendo a la categoría de artistas de la jardinería, fue el llamado Zenami. En el sufijo «-ami» podemos reconocer que Zenami pertenecía a la secta budista Jishu, cuyo fundador, Ippen Shonin, había tenido una gran fuerza de atracción entre la «gente sencilla» cuando creó la secta en el siglo XIII. A Zenami se le atribuye el *Ginkaku-ji* de Yoshimasa, la villa palaciega en los montes orientales. Murió en el año 1482, después de haber sobrepasado los noventa años, como un hombre estimado por los shogunes a causa de su extraordinaria habilidad en la creación de jardines.

Es posible que Karl Hennig tenga razón cuando dice que el nuevo prototipo de la época Muromachi fue «inventado» durante la época en que vivió y trabajó Zenami, entre 1433 y 1471[45]. Lo que hasta hoy no se ha descubierto es si este tipo de jardín fue el producto intelectual del *Kawaramono*, el monje zen o el propio shogun.

La importancia del shoin-zukuri y el jardín hojo

Los samurai, la clase de los guerreros, se hicieron cargo del poder político en Japón durante las épocas Kamakura y Muromachi. Eran los que proponían a los shogunes que tenían el poder en el país. Los palacios imperiales y nobles dejaron de ser el centro de la actividad cultural de Japón, concentrándose en los palacios de los samurai y los templos zen bajo su protección. Esto condujo a cambiar la función y la forma del jardín durante esta época. El proceso de transformación exigió mucho tiempo, fue bastante complicado y duró hasta bien entrada la época Muromachi. La arquitectura de los palacios y jardines de la época Heian, llamada *shinden-zukuri*, se convirtió lentamente en *shoin-zukuri*, la arquitectura de los palacios de los samurai y los sacerdotes zen.

Durante las épocas Kamakura y Muromachi, los japoneses copiaron la filosofía zen china y la arquitectura inspirada por ella. En dos templos antiguos de la secta zen Rinzai, el *Daitoku-ji* y el *Myoshin-ji* en Kioto, podemos observar que los modelos chinos fueron adaptándose progresivamente a la mentalidad japonesa. Ambos templos se fundaron en la época Muromachi y su concepción general se basaba en modelos chinos. El complejo de edificios situado en el centro de la zona religiosa (puerta de entrada, lago del loto, puerta principal, pabellón de lectura, pabellón de Buda, casa de baños y letrinas) y ordenado rigurosamente a lo largo de un eje, está rodeado por una serie de templos secundarios estructurados con mayor libertad, casi como un laberinto. La residencia del sumo sacerdote se levanta en el norte del complejo central. Los templos secundarios fueron fundados por monjes destacados y en Japón eran bastante independientes del templo principal, no sólo económicamente. Además estaban separados por altos muros del resto del complejo y de los otros templos. En estos rasgos se reconoce el peculiar carácter japonés de los templos zen de la época Muromachi. En los pequeños patios interiores que se abrían anárquicamente entre los distintos templos secundarios, delante de la vivienda del sumo sacerdote, *hojo*, y del pabellón para invitados, *kyakuden*, se encuentra el jardín en sí de la época Muromachi.

Joza no ma, la estancia mayor en el pabellón de los invitados del Kojo-in, un ejemplo clásico de la arquitectura shoin. Una alcoba un poco elevada penetra en el jardín. Aquí se encuentran también el tokonoma y el tsuke-shoin, la mesa de madera desde donde se puede ver el jardín.
La pintura policroma sobre fondo dorado del tokonoma representa el arroyo de un jardín con una cascada. La pintura se ha realizado de forma que parece como si el arroyo fluyera hacia afuera, hacia el jardín. De esta manera, el shoin y el jardín se integran por completo.

Un elemento importante en la configuración del estilo arquitectónico shoin-zukuri, propio de esta época, fue el *kaisho*, un edificio utilizado por la poderosa clase de los samurai para fiestas y otras reuniones. El *kaisho* ya se había formado durante la época Kamakura influenciada todavía por el estilo shinden-zukuri de la época Heian. Era un centro de reunión para la celebración de banquetes o la ceremonia del té, para leer versos o cultivar el arte del ikebana. Al principio, el *kaisho* se encontraba en el lado norte del *shinden*, es decir, en la parte más retirada del palacio.

Las dos grandes autoridades en el campo de la arquitectura shoin, Itoh Teiji y Hashimoto Fumio, coinciden en afirmar que las transformaciones del palacio, provocadas por la aparición del *kaisho*, fueron «un factor importante en los cambios del estilo arquitectónico y terminaron por conducir a la formalización del estilo shoin-zukuri en el siglo XVI»[46].

A continuación presentamos una lista con los rasgos característicos del estilo shoin-zukuri que, en especial a comienzos de la época Muromachi, no aparecen necesariamente *todos* en el mismo edificio:

Tsuke-shoin, una mesa baja de madera empotrada en un nicho, que servía para leer y escribir, y dió nombre al estilo.

Tokonoma, un nicho de adorno donde se colocaban composiciones florales o pequeños objetos decorativos. Gozaban de gran aceptación las pinturas en rollos longitudinales importadas de China.

Chigaedana, estanterías donde se guardaban libros y los valiosos utensilios de la ceremonia del té. Ambos se solían importar de China por aquella época.

Chodaigamae, puertas correderas pintadas que proporcionaban al dueño un cómodo acceso al *shoin*.

Otro elemento importante de la arquitectura shoin-zukuri eran las paredes divisorias correderas. La paredes interiores se llaman *fusuma* y suelen estar pintadas. Las paredes que separan el interior del jardín se llaman *shoji*, y normalmente son translúcidas. Puesto que estas paredes se podían correr sencillamente hacia un lado, era posible contemplar el jardín como a través de un marco. El jardín se convirtió en cierto sentido en una parte enmarcada de la arquitectura shoin. Este es el rasgo característico de las casas de los samurai y los monjes zen.

La importancia de los ideales estéticos de la época Muromachi en la concepción del jardín: monomane – yugen – yohaku no bi

Según el famoso especialista Shigemori Mirei, el jardín kare-sansui refleja los siguientes ideales estéticos propios de la época Muromachi: *yugen*, una simplicidad elegante y profunda que está acompañada por un simbolismo múltiple, y *yohaku no bi*, la belleza de la superficie vacía.[47]

Para Hisamatsu Shinichi, un estudioso que se ha ocupado sobre todo de cuestiones estéticas, la jardinería es una de las muchas artes inspiradas en el budismo zen. Hisamatsu afirma que todas estas artes presentan las mismas características. Creo que merece la pena considerar las «siete características» citadas por él y que se han hecho famosas:

Asimetría
Simplicidad
Austera majestad o majestuosa aridez
Naturalidad
Refinada profundidad o profunda reserva
Serenidad suspendida
Paz

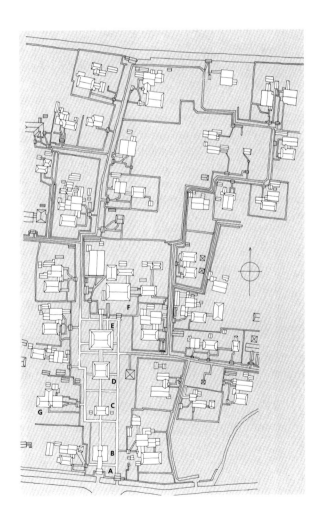

Plano general del Myoshin-ji, uno de los grandes templos zen de Kioto construido en la época Muromachi. Las principales estancias comunes se ordenan con una rígida simetría a lo largo de un eje que discurre de norte a sur. A: puerta de entrada; B: estanque del loto; C: puerta principal; D: pabellón de lectura; E: pabellón de Buda; F: vivienda del sumo sacerdote; G: templo secundario de Taizo-in. Los elementos que no se especifican son templos secundarios que se agrupan libremente en torno al templo.

La disciplina de la meditación zen tiene como meta conseguir que el individuo se concentre en «su propio rostro». Este rostro, la auténtica esencia del hombre, es el «no yo» carente de forma. Hisamatsu piensa que los problemas que aporta la expresión del «no yo» carente de forma, «conducen casi obligatoriamente a manifestaciones artísticas que presentan las siete características citadas»[48].

Sin embargo, Wybe Kuitert y en cierta medida también Karl Hennig ponen en duda que la expresión «arte zen» se pueda aplicar a los jardines medievales kare-sansui. En su opinión se trata de un malentendido de un arte que tiene su origen en otras fuentes. Este malentendido se debe sobre todo a la obra de Suzuki D., Nishida Kitaro de la Universidad de Kioto y el ya citado Hisamatsu Shinichi; se trata, por tanto, de un malentendido del siglo XX. Kuitert opina que se ha hecho demasiado hincapié en el papel del budismo zen como raíz del *kare-sansui* y que bastaría con explicar el jardín kare-sansui de la época Muromachi a partir del afán de imitación de Japón. Kuitert escribe al respecto que el jardín Muromachi «tiene sus raíces, tanto en el aspecto compositivo como en cuestión de apreciación, en el jardín paisajístico chino». En otro pasaje prosigue: «El término jardín zen sólo se puede aplicar seriamente a aquellos jardines medievales inspirados en la cultura de las dinastías chinas Song o Yuan. Pero después surge la pregunta de si en realidad tiene algún sentido hablar de jardines zen»[49].

Puede que la duda de Kuitert sea justificada. A pesar de todo, queda el hecho de que la propia cultura de las dinastías Song y Yuan estuvo profundamente influenciada por el budismo zen. Además quiero apuntar que casi todos los jardines de paisaje seco de la época Muromachi forman parte de un templo zen.

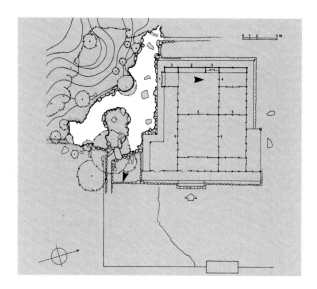

En cualquier caso, me parece que en el *kare-sansui* de la época Muromachi se manifiesta la voluntad del autor de imitar la naturaleza de una forma nueva y más profunda. El paso de la época Heian a las épocas Kamakura y Muromachi se traduce en la jardinería en el paso de un jardín inspirado sobre todo en las manifestaciones externas de la naturaleza, a un jardín que se centra en las «propiedades internas» de la naturaleza[50]. Como es lógico, estas dos orientaciones no se excluyen mutuamente. Es más, creo que el jardín kare-sansui de la época Muromachi es algo más que una simple imitación: pretende captar y reproducir la naturaleza en su esencia interna, quiere representar la regularidad de sus energías, ritmos, proporciones y movimientos. De ahí la tendencia a la abstracción con medios «naturales». «Abstracción» no se debe equiparar aquí con «falta de naturalidad»; significa más bien que la disposición de las rocas, tal como la encontramos en los jardines kare-sansui, aunque no reproduce la disposición natural, no significa que no sea natural. Parece como si el ojo del artista de la época Muromachi hubiera descubierto un sentido profundo en la naturaleza de las rocas que pretende manifestar en sus composiciones pétreas.

La palabra *monomane* significa «imitación de las cosas». El sacerdote zen Zeami, padre del teatro noh clásico y un gran artista de la jardinería, fue el primero en analizar sistemáticamente en un escrito teórico el *monomane*, la imitación de las cosas. Allí escribe que la primera tarea del actor noh es «imitar cada cosa según su esencia»[51]. Por tanto, la imitación sería la técnica por excelencia que nos permite penetrar en la esencia de las cosas.

Una vez que el actor consigue imitar las cosas de acuerdo con su esencia, debe intentar identificarse completamente con ellas. Zeami dice: «En el arte de la imitación existe un estadio que podríamos llamar ‹la no imitación›. Una vez que el actor haya experimentado su arte hasta el final y realmente haya llegado a convertirse en el objeto que representa, entonces olvidará que ha alcanzado este estado a través de la imitación».[52]

Sólo así llegará a través de su arte al *yugen*, un término muy discutido procedente del vocabulario estético de la época Muromachi. El significado de la palabra *yu* abarca todo un complejo que designaremos con las palabras «profundidad» y «oscuridad». La palabra *gen* significa «sentido profundo», pero también «oscuridad» y «majestad». El compuesto *yugen* significa algo como «una belleza elegante y profunda a la vez», o sea, una belleza interior que no valora las formas externas y capta la profunda tristeza de lo efímero.

De acuerdo con la teoría de Zeami, el actor ha alcanzado el último escalón de la perfección de su arte cuando consigue representar la belleza «sobrenatural» según «el estilo de una flor impenetrable». Esta belleza sobrenatural y oculta de la naturaleza, una belleza que está más allá de lo que sólo se puede percibir con los sentidos, es la que descubro en los jardines del *Ryoan-ji* y el *Shinju-an*.

El teatro noh y los jardines muromachi tienen además otra característica en común: su polivalencia simbólica. ¿Qué significa esto? Para ser exactos quisiera citar a Max Bense, que lo define de la forma siguiente: la relación entre el objeto representado y el símbolo se caracteriza por la circunstancia de que el «símbolo ... representa de una forma convencional su objeto, independientemente de él y sin una referencia real»[53]. Por tanto, el significado de un símbolo se tiene que aprender; no es comprensible a partir del símbolo mismo, sino que es el resultado de una convención social.

  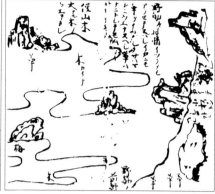

En el *Daisen-in*, el agua está representada por la grava blanca. Como hemos visto, también se podría decir que ha sustituido al agua. Esta grava blanca, símbolo del agua en un primer nivel, representa también la vida del hombre, en concreto, la vida de un hombre que ha estudiado el zen. El tema de los jardines *kare-sansui* no es el paso de las estaciones del año o la belleza de famosas maravillas naturales, sino los secretos internos de la naturaleza o la existencia humana. Por eso lo importante en ellos es la composición abstracta de volúmenes, superficies y ritmos. Más tarde veremos que el hecho de dar nombre a las piedras también es una posibilidad de representar un significado más profundo.

Aparte de esto, lo que diferencia al *kare-sansui* de los jardines de la época Heian es la gran superficie vacía, convertida en un punto central dentro del complejo del jardín, como por ejemplo de los jardines del *Ryoan-ji* o el *Daisen-in*. A partir de este cambio esencial, podemos descubrir una relación diferente con el espacio. Esta nueva relación se reconoce ya en las pinturas de la época Kamakura; al contrario que las de la época Heian, ya no aparecen repletas de pequeños detalles, sino que las superficies de estos cuadros son más amplias. A menudo encontramos grandes superficies que representan la niebla, las nubes o simplemente el cielo raso. Los japoneses creen que estos cuadros tienen algo que llaman *yohaku no bi*, la «belleza del espacio vacío». *Yo* significa tanto como «resto» y *haku* «blanco». El jardín zen comparte esta sensibilidad con las grandes superficies vacías de los cuadros zen, el momento del silencio en la música noh o el instante de rigidez de la danza noh.

De inmediato recordamos las palabras del poeta Shinkei, que en el siglo XV comentó así el significado del silencio, del espacio vacío en la poesía: «En el poema debes concen-

trar tu espíritu en lo que no es». Es fácil reconocer el parentesco con la famosa frase de Zeami sobre el teatro noh: «*Senu tokoro ga omoshiroki*», «lo importante es lo que el actor *no hace*»[54]. La frase de Mies van der Rohe, «menos es más» o una expresión como «cuanto menos se muestre de forma explícita, tanta más libertad tendrá la fantasía del espectador», quizá nos resulten a los occidentales más comprensibles a la hora de describir el arte del *yohaku*.

Sansui Narabini Yakei-zu: una teoría ilustrada sobre las formas del jardín

El *Sansui Narabini Yakei-zu* es un texto que, como su antecesor el *Sakutei-ki*, subraya la importancia de la tradición oral secreta en el arte de la jardinería. El texto data del año 1466 y fue recopilado por el sacerdote Shingen. Como ya se ha comentado, Shingen era un *ishitateso*, un sacerdote muy interesado en el arte de la jardinería que pertenecía al templo Ninna-ji, en Kioto. Aunque en su libro todavía aparecen algunas indicaciones que también podríamos encontrar en un libro de la época Heian, se ocupa sobre todo del nuevo jardín típico de la época Muromachi y de la arquitectura que lo rodea. Al contrario que el *Sakutei-ki*, contiene dibujos ilustrativos. En especial dos características de este libro nos indican que el carácter simbólico de las composiciones de rocas fue aumentando durante la época Muromachi.

Nada más comenzar el texto se hace hincapié en que las rocas sólo se deberían colocar según las reglas de la geomancia japonesa *sino*, los principios del Yin y el Yang, y la idea de las cinco fases evolutivas:

«Cuando coloques rocas, siempre debes tener en cuenta los ciclos de destrucción e intensificación recíproca. Ten siempre presentes los cinco colores de las piedras. En el ciclo de la destrucción recíproca es la madera la que destruye a la tierra. La tierra destruye al fuego, el fuego al metal y el metal destruye a la madera. El color de un hombre que tiene la naturaleza de la madera, es azul verdoso. Por eso no deberías colocar en su jardín ninguna piedra amarilla, porque la madera destruye a la tierra...»[55]

Considerando que la ciencia japonesa *sino* de la época Muromachi clasificó cada objeto entre la tierra y el cielo según el esquema de las cinco fases evolutivas, entonces es de suponer que las rocas también se entendían según esta ley cósmica y se las intentaba clasificar según su color, tamaño, forma y clase. A partir de estas clasificaciones surgieron de una forma lógica las reglas para su colocación. En base a esta ideología, las diversas composiciones de rocas aparecen como algo diferente a las imitaciones de las famosas bellezas naturales configuradas según criterios puramente estéticos, o a las metáforas de las montañas y las islas. Más bien parecen manifestaciones de constelaciones energéticas en la naturaleza. Para el artista constituyen un lenguaje simbólico con el que expresar las profundas verdades de la naturaleza.

El texto del *Sansui Narabini Yakei-zu* está lleno de nombres apócrifos para designar determinadas composiciones de rocas. Se habla de «la roca que nunca envejece», «la roca de los diezmil eones» o «la roca del rey espiritual». La mayoría de estos enigmáticos nombres procede del mito taoísta chino de las «Islas de los bienaventurados». Otros nombres, a primera vista tan enigmáticos como éstos, reflejan el efecto escénico que se pretendía conseguir con la composición. Conocemos, por ejemplo, «la roca de la niebla trémula», «la roca que oculta la barca» o «la roca del

ancla del puente». Un tercer grupo de nombres designa simplemente la posición de las rocas: «roca creciendo hacia arriba» o «roca derecha y tumbada». Al aplicarles un nombre, las piedras, que como objetos naturales están carentes de significado, adquirieron un significado propio. David Slawson ha analizado los nombres de las piedras y ha llegado a la conclusión de que se pueden dividir en cuatro grupos: un grupo que alude al efecto escénico previsto con la composición, otro grupo que hace referencia a la posición de las rocas, un tercero que se refiere al valor cultural y, por último, un grupo de nombres que hace alusión al entorno geológico de las piedras[56]. A mi modo de ver, este análisis es demasiado científico y racional para poder captar la naturaleza interna de los jardines y las composiciones de piedras. Al fin y al cabo, los jardines nunca se realizaron exclusivamente de acuerdo con métodos racionales. Además, me parece discutible la división en efecto escénico, posición de las piedras y valores culturales. ¿Acaso nuestras propias formas de percepción no están ya condicionadas por nuestra cultura? Sea como fuere, creo que los numerosos nombres de las composiciones de rocas tan sólo son un indicio de que los jardines de la época Muromachi fueron adquiriendo un carácter cada vez más simbólico. Un indicio, por tanto, de que la naturaleza de los jardines fue recubierta con un sistema simbólico que otorgaba un sentido comprensible a la naturaleza que, en sí, «carece de significado».

*Grupos de rocas en una cascada seca en el valle
de Ichijodani al noreste del lago Biwa.
Fotografía: Katsuhiko Mizuno*

Grupos de piedras en torno a un antiguo lago
con islas en el valle de Ichijodani.
Fotografía: Katsuhiko Mizuno

Senda y destino
El jardín del regreso

Los jardines de la época Azuchi-Momoyama y la época Edo temprana son, ante todo, copias estereotipadas del jardín con lago o variaciones del jardín de paisaje seco. Durante la tercera oleada de influencia china, el orden social de Japón se fué basando cada vez más en una ética práctica y neoconfucionista. El escenario característico del nuevo prototipo de esta época es el *roji*, la «senda» que lleva al *so-an*, la «cabaña con tejado de paja». El típico jardín del té es bastante pequeño y proporciona el marco adecuado a la ceremonia del té. Este tipo de jardines generalmente

fue realizado por sus propietarios, en su mayoría pertenecientes a la clase ascendente de los comerciantes urbanos. Un nuevo estilo arquitectónico, el estilo sukiya, aparece condicionado por la casa del té. Al principio, los materiales y decorados del jardín del té todavía eran «naturales». Por ejemplo, los jardines que diseñó Sen no Rikyu todavía debían representar la naturaleza en sus relaciones internas. Furuta Oribe creó más tarde una segunda naturaleza –basada en sus preferencias personales–, introduciendo en el jardín formas y paisajes artificiales.

La época Azuchi-Momoyama

Durante la primera mitad del siglo XVI, la autoridad política de la corte imperial y los shogunes Ashikaga fue declinando paulatinamente. La pérdida de poder de estas dos instituciones centrales condujo a la desintegración del país en innumerables pequeños territorios gobernados por príncipes belicosos y ávidos de poder, los daimio. El país fue decayendo en una serie de luchas de poder entre los distintos daimio, grupos inspirados en los samurai y distintas religiones que luchaban por consguir la hegemonía del país.

El nacimiento de la joka-machi,
la «ciudad bajo la fortaleza»

Esta fase de la historia japonesa se llama *Sengoku*, la «nación en guerra». Empezó con las luchas Onin, que casi tuvieron el carácter de guerras civiles y terminaron en 1477 con la completa destrucción de Kioto. Aunque el último shogun Ashikaga, Ashikaga Yoshiaki, no fue expulsado de Kioto hasta 1573, esta expulsión sólo puso de manifiesto lo que ya era una realidad política en el país: la época Muromachi había terminado.

Durante la segunda mitad del siglo XVI, los príncipes daimio lucharon entre sí agrupándose en alianzas a menudo variables. Hasta finales del siglo XVI no se llegó a crear algo parecido a un Japón unido, cuando los príncipes Tokugawa Nobunaga (1534–1582), Toyotomi Hideyoshi (1536–1598) y Tokugawa Ieyasu (1542–1616), lograron instaurar, después de un lento proceso, un poder central en Japón acatado por los daimio restantes. El proceso de unificación culminó en el año 1603 con el nombramiento de Ieyasu como nuevo shogun. Ieyasu se estableció en Edo, la actual Tokio.

La relativamente corta época Azuchi-Momoyama se caracteriza en el campo de la cultura por la pompa y la ostentación de los tres «grandes unificadores» de Japón que, políticamente, se habían destacado por su brutalidad (casi siempre encubierta). Al principio de esta época, en el año 1576, se encuentra el gran palacio fortificado de Nobugana en Azuchi, en la orilla oriental del lago Biwa. La construcción del suntuoso palacio de Hideyoshi en los montes Momoyama, al sureste de Kioto, marca otro periodo importante. La época Azuchi-Momoyama termina cuando Ieyasu destruye el palacio de Hideyoshi en Osaka, despojándole así de su último enclave de poder. A partir de entonces, Edo se convirtió en el definitivo centro político y cultural de Japón.[57]

No es casual que los nombres de los palacios fortificados dieran nombre a estas épocas de la historia cultural japonesa. Los palacios daimio de varios pisos no sólo fueron fortalezas defensivas y estandartes del poder adquirido por estos príncipes, sino que además influyeron en la creación de un nuevo tipo de núcleo urbano, la *joka-machi*, la «ciudad bajo la fortaleza».

Estas ciudades se convirtieron después en la época Edo en centros de una nueva cultura urbana de tipo secular. Los palacios fortificados semejantes a castillos, que se levantaban por encima de la ciudad, fueron los nuevos núcleos de la cultura Momoyama donde se cultivaban las artes de la época (la arquitectura, la jardinería, la pintura, la poesía, la ceremonia del té y el teatro noh). A partir de aquí se difundieron las artes por el país. Los palacios de los daimio se hicieron cargo de la función que habían cumplido los palacios nobles y los templos en la época Heian, y las villas de los shogunes y los templos zen en la época Muromachi.

La época Edo temprana

En 1603, después de que el emperador nombrara a Tokugawa Ieyasu nuevo shogun y de que Edo se convirtiera en el definitivo centro político y cultural del país, Japón vivió dos siglos y medio de paz. El clan Tokugawa, que gobernó en esta época, cerró el país casi por completo a las influencias extranjeras para asegurar así la identidad nacional y, con ella, su propio poder. Esto se puede entender en parte como reacción a las «maquinaciones antijaponesas» de los cristianos europeos que, si al principio fueron bien acogidos por Hideyoshi e Ieyasu, entre 1614 y 1640 fueron perseguidos con mucha crueldad.

El neoconfucionismo: la tercera oleada –indirecta– de influencia china en el Japón

Durante la época Edo, las bellas artes experimentaron un apogeo desconocido en la época Muromachi. El renacimiento de las artes vino acompañado de un renacimiento del confucionismo en el Japón. Claro está que el país conocía la doctrina del confucionismo ya desde los primeros contactos con China, pero esta filosofía no había cuajado aquí porque los intelectuales japoneses se sintieron más atraídos por el budismo chino. Algunos monjes zen de la época Muromachi activaron el estudio serio del neoconfucionismo chino del filósofo Chu Hsi (1130–1200). En la época Edo, que por motivos políticos intentaba levantar un muro frente a cualquier influencia extranjera, el estudio ciéntifico de los clásicos chinos y sobre todo el interés por la ética neoconfucionista experimentaron –estas son las ironías de la historia– un periodo de apogeo. Para las gentes de la época Edo, el pensamiento neoconfucionista resultaba atractivo en varios sentidos. La caída del budismo, que había movido los espíritus y los corazones de Japón a lo largo de más de mil años, trajo consigo un vacío espiritual que se debía llenar.

En segundo lugar, tal como indican Reischauer y Fairbank, «la idea confucionista de una sociedad humana basada en los principios invariables de una ley natural, parecía justificar las grandes diferencias sociales y el rígido absolutismo del sistema político de esta época. Para los príncipes del clan Tokugawa resultaba muy útil que el confucionismo alabara la lealtad y la ortodoxia intelectual como virtudes sublimes y que cultivara el ideal chino de un estado autoritario burocrático. Una filosofía semejante proporcionaba a su autoridad una base ideologica cuya firmeza descansaba en dos pilares: la autoridad que envolvía a esta doctrina por su antigüedad y el gran prestigio que todo lo chino había gozado desde siempre en Japón».[58]

La tercera y última oleada de influencia china en Japón no se reducía a influencias externas, ante todo estaba en función de las relaciones e intereses de poder en el interior de Japón. Kobori Enshu, uno de los más influyentes jardineros-artistas y maestro de la ceremonia del té en la época Momoyama tardía y la época Edo temprana, desarrolló incluso una interpretación neoconfucionista de la ceremonia del té, que consideraba una especie de imperativo estético: «Sé leal con tu príncipe y tu padre, cumple a conciencia tus deberes familiares y cuida tus amistades».[59]

Formas estereotipadas del jardín con lago de la época Momoyama

El palacio fortificado en Azuchi, orgullo del príncipe Tokugawa Nobunaga, no tuvo la suerte de conservarse por mucho tiempo. En 1579 se convirtió en la residencia oficial de Nobunaga y, tras el asesinato del mismo en 1582, fue incendiado. Las fuentes de la época dicen que este palacio era de una magnitud y un lujo desconocidos hasta entonces. A Kano Eitoku (1543–1590), el mejor pintor de su tiempo, se le confiaron las grandes pinturas murales de las estancias interiores del palacio, que mantenían el estilo shoin. Sus magníficas pinturas sobre fondo dorado –típico del gusto de la época Momoyama– presentan un gran colorido. El jardín a orillas del lago Biwa era famoso por su colección de rocas extrañas que se habían traído de otros famosos jardines de Kioto.

La jardinería japonesa conoce el jardín con lago desde la época Heian temprana, es decir, desde hace más de mil años. He calificado a las siguientes modalidades de este prototipo estereotipos o repeticiones estereotipadas porque no pueden aportar nada esencial a esta antigua concepción del jardín. Ni los principios que rigen el conjunto, ni las experiencias visuales del espectador cambiaron de forma esencial con el paso del tiempo.

El conocido experto en jardines Shigemori Mirei y su hijo Kanto señalan, sin embargo, los jardines con lago de la época Momoyama temprana como una variación digna de atención. Este jardín se distingue del de la época Muromachi tanto en la distribución como en las composiciones de rocas. Los lagos de estos jardines se caracterizan por el artístico contorno sinuoso de la orilla. En ninguna otra época de la historia del jardín japonés ha habido lagos con tantos recodos, ensenadas y penínsulas.

Pero además presentan otras peculiaridades: Los daimio de esta época eran coleccionistas apasionados de rocas extrañas y tenían una predilección especial por las piedras muy grandes. Las composiciones pétreas se vuelven más simples pero también más imponentes y ponen claramente de manifiesto su tridimensionalidad. Comparadas con este tipo bastante masculino, las composiciones de la época Edo resultan realmente femeninas. Es posible que las complicadas técnicas para la colocación de rocas tan grandes se hubieran desarrollado durante la construcción de las murallas de piedra de las fortalezas daimio. Para llevar a cabo estos trabajos pesados, probablemente se contrataron mercenarios que debían ser ocupados en algo durante los cortos periodos de paz de esta época atormentada por las guerras.

Estos jardines no sólo estaban proyectados para recorrerlos andando. La meta de su estética era, más bien, proporcionar al espectador una vista impresionante desde el *shoin*. Para conseguir que la panorámica tuviera el mayor dramatismo posible, los lagos solían construirse por debajo del *shoin*, lo que por otro lado requería afianzar las orillas cada vez mejor y para reforzarla se necesitaban más piedras todavía.[60]

Taga Taisha

Quizá fuera la vista panorámica que ofrecían los torreones de varios pisos de los palacios fortificados, la que despertó en los japoneses la necesidad de contemplar los parques a vista de pájaro. Los edificios de varios pisos como los torreones de los palacios Momoyama eran una novedad en

La torre principal del palacio Hikone se refleja en el gran lago del otoñal Genkyu-en, un jardín daimio en Hikone.

El puente de 10,50 metros de largo, situado entre la isla de las tortugas y la isla de las grullas en el jardín de paisaje seco del Senshu-kaku, uno de los parques al pie del palacio Tokushima, en la isla Shikoku.

Japón. Las distintas posibilidades de percepción que surgieron a partir de su existencia tuvieron también consecuencias visibles en la composición de los jardines. Un ejemplo típico es el jardín con lago situado en el norte del *oku no shoin*, el *shoin* del relicario Taga-Taisha en la prefectura de Shiga. El jardín contaba al principio con dos islas que al pasar el tiempo se han ido convirtiendo en penínsulas. En la esquina noreste del jardín se encuentra una cascada seca de aspecto muy realista y delante de ella un puente de piedras naturales, así como un monte Shumi y un grupo de rocas representando al monte Horai. Todo este escenario se encuentra tres metros por debajo del *shoin*, de modo que ha de contemplarse desde arriba.

Senshu-kaku

El jardín del *omote shoin*, el *shoin* delantero del palacio Tokushima en la isla Shikoku, es uno de los ejemplos más destacados del nuevo tipo de jardín dominado por las composiciones de rocas hiperdimensionales y lagos en un nivel inferior al *shoin* –rasgos que dicen más sobre la ostentación de sus propietarios que sobre los secretos de la naturaleza–. El palacio desaparecido hoy día se construyó en 1587 y el jardín posiblemente no se concluyó hasta 1592. El nombre actual del jardín, *Senshu-kaku*, literalmente «Pabellón de los mil otoños», data del año 1908. En este ejemplo se funden las formas del jardín con lago y del jardín seco con la temática Horai tradicional para formar un todo armónico. Tanto el jardín seco como el jardín con lago, se han dispuesto de manera que se pueden contemplar paseando o mirando desde el *shoin*.

Durante la época Muromachi se solía dedicar gran atención al kare-sansui de un jardín. En la época Momoyama, por el contrario, se pretendía que el jardín con lago y el jardín seco coexistieran con la misma importancia. El paso de un jardín a otro debía ser lo más natural posible. El jardín de paisaje seco situado al este del *omote shoin*, puede vanagloriarse de tener el puente de piedras naturales más grande del Japón. Mide 10,50 m de largo y sólo se apoya en el medio en un pilar. En el jardín se encuentra otro puente levemente arqueado a base de piedra desbastada. Mide unos seis metros y se convirtió en uno de los rasgos típicos de los jardines de la época Momoyama. El jardín con lago se caracteriza por las múltiples composiciones pétreas con rocas colocadas de pie y los muros compuestos por tres o cuatro capas de piedras naturales alrededor del lago de 1,20 m de profundidad.

El jardín parece enmarcado por el ángulo recto del edificio de madera, templo Sambo-in, en Kioto.

A continuación voy a describir brevemente tres jardines con lago de la época Momoyama tardía. Shigemori Mirei y Shigemori Kanto opinan que estos jardines no alcanzan, con mucho, el nivel de expresividad y tecnicismo de los jardines de la época Momoyama temprana. Aparte de esto, las composiciones pétreas no llegan a las magnitudes de las composicones anteriores. Las orillas del lago son menos sinuosas y las rocas de la orilla menos pronunciadas. Los lagos presentan una profundidad menor y las composiciones de las cascadas auténticas o «secas» prueban el menor nivel técnico de sus constructores. Las sendas que atraviesan el jardín se han trazado de modo que, al pasear, el escenario nunca cambia de una forma abrupta o inesperada, sino que se transforma lenta pero continuamente. Esta técnica en el trazado de los jardines no alcanzará su pleno apogeo hasta la época Edo.[61]

Juraku-dai

Tras el asesinato de Nobugana, Toyotomi Hideyoshi, su partidario más fiel, se hizo con el poder; era hijo de un sencillo campesino y consiguió unificar el Japón bajo su hegemonía. Las principales estaciones hasta alcanzar su preponderancia fueron la paz con Ieyasu en 1558, el sometimiento de Kyushu en 1587 y la conquista de Honshu en 1591. Queriendo demostrar su derecho al poder, ordenó construir un palacio en Kioto sobre el lugar donde se levantaba el palacio imperial en la época Heian. Llamó al palacio *Juraku-dai*, la «Casa de las múltiples alegrías». Pero nada se ha conservado del espléndido palacio con sus imponentes jardines y un gran lago. Tan sólo el *Hiun-kaku*, el «Pabellón de la nube que vuela», se trasladó hace tiempo al templo Nishi-Hogan-ji, en el sur de Kioto, donde ha sobrevivido al paso del tiempo. El *Hiun-kaku* probablemente formara parte de las estancias privadas de Hideyoshi. El *Juraku-dai* fue derribado poco después y Hideyoshi se retiró a su palacio situado cerca de Osaka, construido en 1583.

En el año 1594 mandó levantar otro palacio en Fushimi, una ciudad en los montes Momoyama al sureste de Kioto. Sin embargo, veinte años después de la muerte de Hideyoshi, un terremoto y el fuego destruyeron por completo este palacio que quizá fue el más grande y majestuoso de la época Momoyama.

El plano del Sambo-in ilustra la situación del
jardín con lago en relación con el complejo
arquitectónico.
A: omote shoin; B: Junjokan; C: península con
una composición de rocas que representa la isla
Horai; D: isla de las grullas; E: isla de las tortugas;
F: la estrecha franja de jardín entre el lago y el
complejo arquitectónico; G: la cascada de tres
niveles; H: el bosquecillo del té Chinryotei.

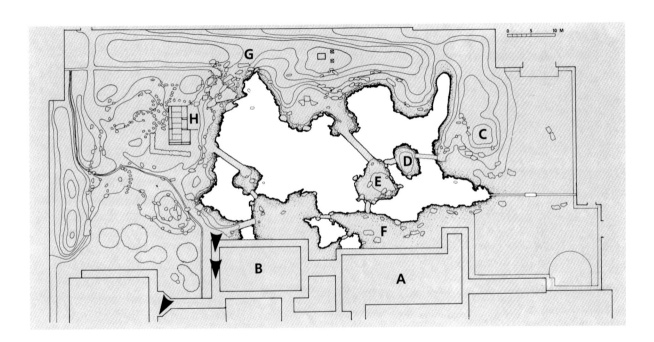

Sambo-in

Un jardín se ha conservado que nos muestra el poder y las
preferencias de Hideyoshi: pertenece al templo *Sambo-in*,
el «Templo de los tres tesoros», pero está concebido como
un jardín palaciego. Hideyoshi mandó construir este jardín
en el año 1598 para celebrar en él una de sus extravagan-
tes fiestas de la floración del cerezo. No obstante, el jardín
no se llegó a terminar hasta después de la fiesta. Hideyoshi
hizo llevar para el mismo casi setecientas rocas e innumerables árboles. Algunos de ellos procedían incluso de su
primer palacio, el *Juraku-dai*: entre tanto se había convertido en algo usual transportar de un jardín a otro aquellas

rocas famosas por su forma, tamaño o color. Al parecer,
trescientos *Kawaramono* trabajaron en el gran jardín con
lago de 540 metros cuadrados. Entre ellos se encontraba
uno que, en adelante, citaremos a menudo: Kentei, «el
jardinero sabio». El jardín era bastante tradicional, con el
motivo de la isla Horai y las islas de las tortugas y las grullas. Pero, sin duda alguna, no había sido pensado como
un jardín de paseo sino que debía contemplarse desde el
omote shoin del *shoin* situado en el noroeste del complejo, o bien desde el *Junjokan*, el «Pabellón de la mirada
pura», un edificio más alto que se encontraba en el centro
del complejo. La existencia de un sendero que recorre el
jardín y el hecho de que sepamos por los testimonios escri-

El jardín parece enmarcado por el ángulo recto
de la arquitectura de madera de los edificios.

Vista de la cascada y el jardín con lago del
Sambo-in desde el Junjokan.

tos que en el lago se emprendían paseos en barca, no altera la concepción del jardín proyectado, en primer término, para ser contemplado desde lugares fijos. En la península occidental se encuentra una composición pétrea que representa la isla Horai. Un puente de madera une esta península con una isla de las grullas que, a su vez, se comunica con una isla de las tortugas a través de un pequeño puente de piedra. Por su parte, la isla de las tortugas está unida a la península con un puente cubierto de tierra. La ordenación de los puentes se convirtió en uno de los rasgos característicos de los jardines en la época Momoyama: los primeros dos puentes se encuentran en una línea, mientras que el tercero forma un ángulo obstuso en relación con ellos. Otro rasgo de estos jardines es la proximidad del *shoin* y el lago. Los jardines de las épocas Kamakura y Muromachi dejaban mucho espacio libre entre ambos. El jardín de la época Momoyama, por el contrario, se extiende alrededor del *shoin*, pero dejando muy poco espacio en dirección al lago. En el punto más profundo del jardín, al pie de la colina más elevada, se encuentra una cascada de tres escalones. Otro elemento típico de los jardines con lago de la época Momoyama son los cenadores del té situados en los pequeños jardines místicos del té.[62]

No se sabe si Hideyoshi, antes de morir en 1598, pudo ver terminado el jardín en cuya construcción había participado activamente. De cualquier forma, el jardín pasará a la historia como un intento de revitalizar la tradición del jardín con lago, marcado por un esplendor desconocido hasta entonces. A pesar de la magnitud y majestuosidad de las rocas y los árboles, reunidos por Hideyoshi en este jardín, y pese a la impresionante panorámica que el mismo ofrece, hay que señalar que en él se documenta ante todo el lujo y la inclinación al derroche del propio Hideyoshi.

Y además creo que es el rasgo más marcado de la época Momoyama.

El jardín del palacio Nijo

Delante del *ni no maru*, la «segunda torre» del *Nijo* situada un poco al sur del palacio Juraku-dai de Hideyoshi, se extiende un jardín con lago tan lujoso y estereotipado como el anterior. En el centro del mismo se encuentra también una gran isla Horai junto a islas de las grullas y las tortugas, de menor tamaño. El palacio fue utilizado como residencia en 1601 por Tokugawa Ieyasu en sus raras visitas a Kioto. Tras obtener la victoria en la batalla de Sekigahara en 1600, se convirtió en el soberano absoluto del Japón reunificado. El tercer shogun Tokugawa, Iemitsu (1604–1651) recibió como invitado al emperador Gomi-zuno-o, siguiendo el ejemplo de su predecesor Hideyoshi, que había organizado una recepción en honor al emperador Goyozei en el palacio Juraku-dai para ratificar así el poder que había conseguido por la fuerza bruta. Con este motivo mandó reformar completamente el palacio *Nijo* de 1624 a 1626.

El responsable de la reforma fue Kobori Enshu, que ya había destacado en todas las artes de su época –sobre todo en la ceremonia del té y la jardinería–. Enshu hizo construir al sur del lago un «augusto pabellón para la visita del emperador», *gyoko goten*, que tras la partida del emperador en otoño de 1626 fue desmontada y levantada en otro sitio. En la actualidad, este lugar está ocupado por una pradera con caminos para pasear.

Con ocasión de la visita imperial mandó orientar casi todas las rocas hacia el sur, donde se encontraba la residencia del emperador. El jardín es un clásico ejemplo de

El grupo masivo de rocas en el jardín del palacio
Nijo armoniza en su tamaño con la grandiosa
arquitectura del ohirama shogunal, el gran pabellón de entrada.

un complejo proyectado completamente de acuerdo con el marco de los edificios que lo rodean: en el sur el *gyoko goten*, en el este la propia residencia de Iemitsu, *ohiroma*, y en el norte el suntuoso *kuro-shoin*. La tarea del jardinero fue crear un jardín que ofreciera una vista hermosa desde los tres lados.

El motivo básico del jardín es la conocida isla Horai en el centro del lago, cuyas composiciones pétreas son de una masividad inusitada. La isla está flanqueada por pequeñas islas de las grullas y las tortugas. El nombre *Hachijin no niwa*, «Jardín de los ocho campamentos militares», se ajusta bien al jardín de este shogun cuyo poder se basaba sobre todo en la fuerza militar: su estructura refleja la disposición tradicional del cuartel general de un shogun con siete campamentos a su alrededor. El propio cuartel general se representaba aquí con la isla Horai en el centro del lago. La cascada del noroeste, que todavía hoy se puede admirar, no data de la época Momoyama sino que se llevó a cabo en la época Meiji. La cascada primitiva, que «funcionaba» como «cascada seca» y como cascada con agua, se encontraba un poco más al sur.

Dado que el fondo del lago estaba lleno de cantos rodados, Shigemori Mirei cree que el jardín se podía contemplar como paisaje acuático o como paisaje seco según se quisiera. Un hecho importante en este contexto era que el visitante podía pasar a la isla Horai a través de un puente: aquí se manifiesta un cambio profundo en la relación del Japón con uno de sus arquetipos principales, el mito del monte Horai, es decir, el mito de la «Isla de los inmortales». En este jardín, la «Isla de los inmortales» ya no se encuentra lejos en el océano, inalcanzable para los mortales, sino que se puede llegar a ella cómodamente atravesando el puente: «De ahí», argumenta Shigemori Mirei,

«que podamos decir que, a partir de la época Momoyama, los jardines se hacen por y para el hombre. Pero esto señala una nueva tendencia en las artes»[63].

Si el jardín de Hideyoshi del templo Sambo-in alcanzó la fama sobre todo por sus imponentes rocas, el jardín del palacio *Nijo* destaca ante todo por la cantidad de rocas empleadas en él. Sin embargo hay que admitir que este suntuoso complejo se ajusta bien al lujo de las residencias de los shogunes.

Genkyu-en

El *Genkyu-en*, «Parque junto al palacio recóndito», se anticipa en muchos sentidos a los grandes jardines con lago de la época Edo. Se llevó a cabo entre 1615 y 1624 al pie del palacio *Hikone* en la prefectura de Shiga, siendo con sus 20.850 metros cuadrados el jardín con lago más grande de los vistos hasta ahora. En él aparecen dos islas grandes y dos pequeñas adornadas por enormes composiciones de rocas. En la orilla occidental, tras la cual se eleva una empinada colina, se construyeron varios pabellones que en parte se elevan sobre el lago apoyándose en delgados pilares de madera. Estos pabellones ofrecen la vista más hermosa del lago enmarcada por la arquitectura de madera. Al norte del lago se encuentra el monte llamado *Hosho-dai*, que se podría traducir como «monte desde donde vuela el fénix». Sobre el *Hosho-dai* se levanta la casa del té, desde donde se puede ver una panorámica de todo el jardín. Los tres puentes de madera –dos dispuestos en línea y el tercero formando un ángulo obtuso en relación con ellos– recuerdan a los puentes del *Sambo-in* y el *Senshu-kaku*. Esta manera de ordenar los puentes es un rasgo característico de los jardines Momoyama.

En la orilla meridional de la «Isla donde cantan las grullas», situada al norte, aparecen composiciones de rocas y arbustos recortados de gran tamaño. La isla está dedicada al motivo Horai, siendo una de las más hermosas islas de este tipo que se conservan de la época Momoyama. En una época como esta, castigada por la guerra y la muerte, la «Isla de los inmortales» parece una oración tallada en la roca por una vida en paz y mejor.

La idea básica del jardín refleja el universo de valores de sus creadores, los daimio, que eran *bushi*, guerreros, pero también *bunjin*, sabios. Estos intereses, a primera vista contrarios, coinciden en la ceremonia del té: descubrimos al *guerrero* en las enormes dimensiones del jardín y sus atrevidas composiciones pétreas, mientras que los diversos cenadores del té en torno al lago, a los que se llega a través de pequeñas sendas ocultas con piedras marcando el camino, nos permiten reconocer al *experto culto* de la ceremonia del té.

Variaciones del kare-sansui o jardín seco de la época Momoyama

El *kare-sansui* no se «descubrió» como un nuevo prototipo de jardín combinado con un nuevo tipo de arquitectura hasta la época Muromachi. Los jardines *kare-sansui* de la época Momoyama tienden a presentar composiciones pétreas más numerosas y de mayor tamaño, que ya pudimos ver en los jardines con lago de esta época.

El relicario Matsuo

Uno de los *kare-sansui* más importantes de la época Momoyama es el jardín seco del relicario Matsuo en Yokaichi,

prefectura de Shiga. Shigemori Mirei redescubrió este jardín en el año 1936. En su opinión, el jardín se realizó entre 1570 y 1590 como jardín meridional de un *shoin* desaparecido en la actualidad. El jardín destaca por su planta inusitada: presenta un plano estrecho y profundo que obliga a ordenar en línea la isla de las grullas y la de las tortugas. La isla de las tortugas se encuentra en un nivel relativamente bajo justo delante del *shoin*, mientras que la isla de las grullas, situada detrás, se levanta sobre una colina artificial. Esta disposición se diferencia de una ordenación tradicional por cuanto que, hasta ahora, las islas se habían colocado una al lado de la otra delante del *shoin*, de forma que el espectador podía contemplarlas a la vez mirando desde allí. Una roca de gran altura colocada de pie en la isla de las grullas simboliza las alas de la grulla. En comparación con el *kare-sansui* de la época Muromachi, resalta el menor grado de abstracción de este ejemplo que también cuenta con menos referencias a la pintura paisajística china.[64]

Shinnyo-in

El jardín seco del *Shinnyo-in* en Kioto, el «Templo de la verdad absoluta», es uno de los jardines típicos de la época Momoyama dispuesto en sentido transversal delante del frente meridional del *shoin*. Fue realizado posiblemente por Ashikaga Yoshiaki, que se hizo cargo del shogunado en 1568 y que, como todos los Ashikaga, era un gran amante de la jardinería. El jardín, tal como lo vemos hoy, no se encuentra en el lugar primitivo y tan sólo es una versión reducida del jardín originario. La cascada seca situada en el oeste, a partir de la cual un río seco fluye hacia el *shoin*, lo convierte en un ejemplo tardío de los jardines zen

La cascada seca del Kanji-in, en Kioto, según una xilografía del primer volumen del Tsukiyama teizoden del año 1735.

Abajo:
Plano del jardín de paisaje seco del templo Hompo-ji, en Kioto (según un dibujo de M. Shigemori y K. Taikei, vol. 9, 1972). A: shoin; B: almacén; C: estanque del loto; D: símbolo solar compuesto por dos piedras cortadas; E: cascada seca.

de la época Muromachi. No obstante se pueden descubrir en él algunas novedades: por ejemplo los pequeños cantos azulados colocados con esmero como si fueran las escamas de un pez, que representan el agua fluyendo. Este simbolismo doble es un rasgo completamente nuevo.

Kanji-in

El jardín en forma de L situado delante del *shoin* del *Kanji-in*, en Kioto, fue víctima de las llamas en 1780. El jardín, reconstruido de nuevo, ha vuelto a ser desfigurado en nuestro siglo a consecuencia de un espantoso bloque de apartamentos en su lado sur: este edificio perturba notablemente la imagen del jardín.

A pesar de todo, se pueden descubrir en él dos rasgos característicos del jardín de la época Momoyama: de un lado, el puente por encima de una cascada seca de dos escalones con un grupo triple de piedras que reproducen las montañas a lo lejos. Las composiciones de rocas en las dos orillas del río seco se han conservado extraordinariamente bien. Otras composiciones similares de la época Muromachi, como por ejemplo en el *Tenryu-ji*, siempre colocan el puente por debajo de la cascada. También se pueden reconocer en la cascada algunas rocas que dividen el agua representada simbólicamente. La segunda peculiaridad del jardín de la época Momoyama es la ensenada que domina el centro del jardín y que se cierra visualmente con un puente de piedra sin desbastar. Una piedra tallada en redondo, como las empleadas en las columnas de los puentes, aparece en el medio de esta ensenada. Es el símbolo de una pequeña isla. Las piedras talladas hubieran sido algo impensable en el jardín seco de la época Muromachi.

Hompo-ji

La coexistencia en una composición de rocas sin desbastar con piedras de formas geométricas es una característica de la jardinería de la época Momoyama. En el *Hompo-ji*, «Templo de la ley primordial», encontramos otro ejemplo de esta coexistencia todavía más atrevido. No sabemos cuando se proyectó el jardín ni quien fue su autor, ya que no existen fuentes al respecto. Shigemori Mirei cree que el estilo de este jardín remite a un periodo de formación entre 1570 y 1590. El jardín mantiene la forma en L típica de la época, es decir, que se abre como una L rodeando al *shoin* por el este y el sur. Originariamente también tuvo que haberse extendido hacia el noreste, donde en la actualidad se encuentra un almacén. De acuerdo con la fórmula de la época Momoyama, en el sureste aparece una cascada seca con un puente delante. Frente al *shoin* se despliega un mar seco; la arena blanca o la grava que lo cubría al

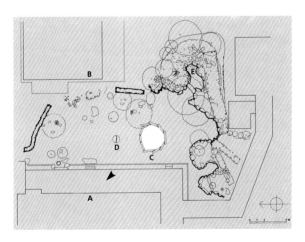

Los cantos azulados y planos, que se colocan
como las escamas de un pez, representan
el agua que fluye. Templo Shinnyo-in, Kioto.

Jardín de paisaje seco con un «verdadero» estanque del loto en el templo Hompo-ji, en Kioto
(según una xilografía del Miyako rinsen meisho
zue).

principio, ha desaparecido hoy en día. Si hemos de creer a
Akisato Ritoken, autor del *Miyako rinsen meisho zue*, el
manual ilustrado de los jardines famosos de Kioto, el jardín
contaba con tres montes artificiales en forma de coma. En
opinión de Shigemori Mirei, la arena del mar seco delante
del *shoin* se había rastrillado formando un motivo que
recordaba a una coma. Lo inusual de este complejo es la
introducción de rocas labradas y desbastadas: diez piedras
alargadas rectangulares se cierran en círculo creando un
(auténtico) estanque del loto, y dos piedras semicirculares
se ordenan formando la antigua letra china para designar
el «sol». El templo pertenecía a la secta Nichi-ren y la palabra *nichi-ren* significa «Sol-loto», es decir, que simboliza
tanto la luz (shinto) como los ideales budistas de pureza.
Esta práctica de introducir letras en el jardín seco podría
hacer referencia a que el jardín no se realizó en la época
Momoyama, sino en la época Edo.[65]

Otro elemento que también resulta demasiado atrevido
para la época Momoyama es la introducción de un estanque auténtico en medio del lago seco delante del *shoin*.

Nishi-Hongan-ji

El kare-sansui llano mejor conservado de la época Momoyama es el *Kokei no niwa*, «Jardín de la garganta del tigre». En la actualidad se encuentra en la zona religiosa del
Hompo Nishi-Hongan-ji, en Kioto, donde la secta budista
Jodo-shinshu tiene su sede principal. Esta secta fue fundada por Shinran Shonin, que vivió de 1173 a 1263.
Se supone que el jardín primitivo se encontraba en el palacio Fushimi de Hideyoshi y que después se construyó de
nuevo junto a este templo. El jardín abarca en su estado
actual una superficie de unos 760 metros cuadrados. En
su extremo oriental se eleva un monte artificial con un
grupo de rocas que simbolizan el monte Shumi. En el norte se encuentra una cascada seca, así como una isla de las
tortugas y una isla de las grullas en el medio de un mar de
arena seco. El jardín está concebido de tal manera que la
mejor panorámica se obtiene desde el porche de la sala de
recepciones del templo. Según parece, el jardín se debía
contemplar desde aquí como si se tratara de un cuadro. El
segmento de jardín entre el mirador y el lago seco resulta
muy reducido, lo que se debe, según Shigemori Mirei, a
que la sala de recepciones se amplió cinco metros y medio
hacia adelante tras un incendio en el siglo XVII.

La estructura del jardín seco presenta similitudes mani-
fiestas con el jardín del templo Sambo-in; hay que destacar
en especial la posición de la cascada, así como la situación
de la isla de las grullas y la de las tortugas. También se debe
reseñar la ordenación de los tres puentes, dos de ellos ali-
neados y el tercero en ángulo –aquí agudo–. Dos de los
puentes son de piedra tallada y el tercero de piedra sin
desbastar.

En este caso estamos ante un *kare-sansui* al estilo del

Un puente arqueado compuesto por una sola piedra entre la isla de las tortugas y la isla de las grullas. Estos puentes construidos con una sola piedra labrada son una novedad técnica del periodo Momoyama. Las palmeras sago aparecen en la fotografía recubiertas con el abrigo invernal.

*Aquí se representa por primera vez una isla en
una ensenada mediante una piedra cortada
en redondo, tal como se utilizaba en los apoyos
de los puentes.*

*La cascada seca en el Kanji-in en su aspecto
actual. Por encima de la cascada aparece
un puente formado por una piedra sin desbastar.*

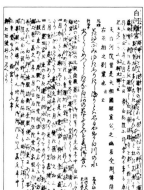

Representación del jardín de paisaje seco del
Konchi-in según una xilografía del Miyako rinsen
meisho zue fechado en 1799.

jardín con lago. Esto resulta interesante porque interrumpe
la tendencia del estilo kare-sansui hacia una abstracción
creciente. Los jardines secos de la época Momoyama muestran un simbolismo que tiende más a la representación y la
reproducción, al contrario que, por ejemplo, los abstractos
jardines de rocas del *Ryoan-ji* o el *Daisen-in*, que presentan
un simbolismo múltiple.[66]

Si la máxima del jardín seco durante la época Muromachi seguía siendo «menos es más», los jardines de paisaje
seco de la época Momoyama estarán condicionados por el
principio opuesto: los jardines están llenos hasta rebosar
de rocas y plantas exóticas. La ostentación ha sustituido a
la simplicidad.

La relación del kare-sansui con el o-karikomi

En la época Momoyama surgieron manifestaciones sorprendentemente nuevas del jardín kare-sansui gracias a la
introducción del *o-karikomi*, arbustos y árboles recortados
con distintas formas. El *karikomi* había sido desde siempre
una cuidada tradición de la jardinería japonesa, pero ahora
se convertirá en el rasgo dominante de los jardines. Recor-
demos que desde el principio de la jardinería japonesa, es
decir, desde las épocas Nara y Heian, existía ya una especie
de tendencia a la abstraccción: de entre los infinitos elementos de la naturaleza se escogieron unos pocos, se cer-
caron con un muro y a esta creación se la denominó jardín.
Esta tendencia se continuó desarrollando en las épocas
Kamakura y Muromachi: el monte *Shumi-sen* de la religión
budista o las grullas y las tortugas se representaron con
grupos de rocas. El mar dejó de representarse mediante un
lago, para tomar como símbolo una superficie de arena o
grava blanca. Durante la época Momoyama tardía y la

época Edo temprana, esta tendencia a la abstracción cambia de rumbo: se empiezan a evocar las formas del monte
Horai, el barco del tesoro o las olas del mar mediante arbustos y árboles recortados. Este arte basado en la proyección de todo un jardín con árboles y arbustos recortados,
se llama o-karikomi. El mérito de haber perfeccionado este
arte se debe a un sólo hombre, el artista Kobori Enshu
(1579–1647).

Shigemori Mirei resume sencillamente que el arte del
o-karikomi tuvo su apogeo y su final con la vida de este
hombre.[67]

Raikyu-ji

Según cuenta la tradición, Kobori Enshu construyó en el
año 1617 el jardín del *Raikyu-ji*, un templo zen en la prefectura de Okayama. El jardín combina un *kare-sansui*, tal
como es usual en los tradicionales templos zen, y un jardín
cuyos motivos centrales son el monte Horai y las islas de
las grullas y las tortugas. Lo singular en él es un gran escenario escultórico que representa las olas del océano con
un monte escarpado como telón de fondo: la escena está
compuesta por matas de *tsubaki*, camelias, y *satsuki*, azaleas. Las matas de camelias crecen en el fondo y se han
recortado con líneas rectas, mientras que las azaleas del
primer término presentan una forma ondulada. Al margen
de las dificultades técnicas que supone conservar a lo largo
de los siglos una escultura semejante a base de plantas
vivas que hay que recortar continuamente, esta representación del monte Horai es una de las más extraordinarias
en su estilo. El *o-karikomi* se ha convertido en un medio
de expresión autónomo dentro de la jardinería.

Justo delante del *shoin* se encuentra una isla de las gru-

Una isla de las grullas en la superficie de arena del «Jardín de la garganta del tigre», situado delante del gran pabellón de entrada del templo Nishi-Hongan-ji, en Kioto. Se supone que, originariamente, el jardín se encontraba en la residencia shogunal de Hideyoshi en Fushimi.

Ordenación típica de los puentes en la época Momoyama: dos de ellos se colocan en línea, uno detrás de otro, y el tercero suele situarse en ángulo obtuso con relación a los anteriores. A: puentes de piedra natural; B: puentes de piedra desbastada; C: puentes de madera; D: puentes cubiertos con tierra.

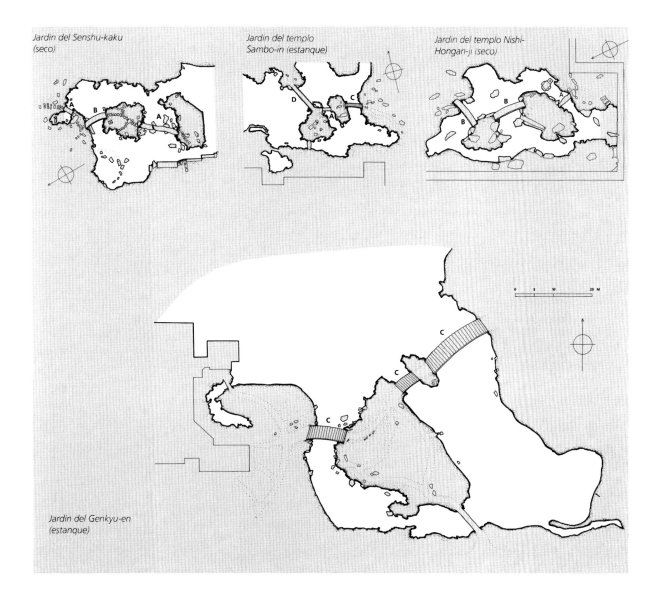

Jardín del Senshu-kaku (seco)

Jardín del templo Sambo-in (estanque)

Jardín del templo Nishi-Hongan-ji (seco)

Jardín del Genkyu-en (estanque)

El mirador norte del pabellón Shokin-tei de la villa Katsura.

Vista del o-karikomi en el jardín del templo Daichi-ji.

El arte del o-karikomi en el jardín del templo Daichi-ji. Barco del tesoro a base de setos recortados situado delante del shoin.

La introducción del o-karikomi se produjo a principios de la época Edo. Grandes arbustos de hoja perenne son recortados con la forma del monte Horai.

pal al norte del complejo religioso, se encuentra una superficie rectangular cubierta con grava. En ella se descubren piedras que indican el camino con una buena sensibilidad para captar las proporciones. En el centro aparece un estanque muy similar a los de los templos Konchi-in y Kohoan. Sabemos con certeza que estos templos fueron obra de Kobori Enshu.

Daichi-ji

El templo Daichi-ji se levanta en Minakuchi, en la prefectura de Shiga. En el jardín del frente oriental del *Daichi-ji*, «Templo del gran lago», se encuentra un *o-karikomi* de azaleas recortadas, atribuido a Kobori Enshu o a uno de sus sucesores. Se dice que este *o-karikomi* representa un barco del tesoro que lleva a los siete dioses de la felicidad que conocemos de la mitología china. Según otra interpretación, representa una gran isla de las grullas que tiene su contrapunto estético en una isla de las tortugas más pequeña situada directamente delante del *shoin*. El cuerpo de la tortuga consta de un *karikomi*, un arbusto recortado aislado, y una piedra como símbolo de la cabeza de la tortuga. Esta composición tiene unos contornos un poco más suaves que los del *Raikyu-ji*. Esto puede deberse a que las piedras se han colocado de una forma menos llamativa. En el jardín destacan también la casa del té y el *karikomi* de la entrada del templo bajo un árbol venerable.

Konchi-in

El *Konchi-in* es un templo secundario del templo zen *Nanzen-ji* al pie de las montañas orientales de Kioto. Kobori Enshu fue el responsable del proyecto de este templo se-

llas formada por azaleas recortadas y rocas de una belleza extraordinaria. Al mirar desde el *shoin*, se descubre el *Shumi-sen*, el monte del mundo de la religión budista, en el centro de esta isla de arbustos y piedras. Pero cuando se contempla la isla desde el pabellón principal en el norte, parece un grupo de tres rocas que destaca sobre el fondo «prestado» del monte Arato que se yergue imponente hacia el cielo.

La isla de las tortugas en el sur del jardín ha desaparecido, por desgracia, y desconocemos su aspecto primitivo. Shigemori Mirei cree que el pequeño arroyo y el lago frente a los arbustos recortados en el sur del jardín son elementos añadidos en la época Edo tardía o en la época Meiji. Bajo los anchos aleros del *hondo*, el pabellón princi-

El jardín del Konchi-in, un templo secundario del Nanzen-ji en Kioto. La cabeza de la isla de las tortugas aparece representada por una gran roca diagonal.

justo en el eje central, se encuentra un *reihaiseki*, una roca de uso religioso en un espacio cubierto con cantos rodados azulados. El *reihaiseki* pertenece en realidad al relicario Toshogu, cuyo tejado se puede vislumbrar desde aquí mirando hacia el oeste. Este relicario fue construido para orar por el alma del shogun Ieyasu.

El jardín se cierra ópticamente hacia el sur con un *o-karikomi* que se ha recortado de modo que oculta la inclinación del terreno. Pero las formas de estos arbustos ya no se pueden comparar con las de los jardines descritos anteriormente: no tienen ningún carácter simbólico y parecen responder tan sólo a fines decorativos. En el mejor de los casos se podrían interpretar como una especie de movimiento ondulado en cuyo centro se encuentran dos «Islas de los bienaventurados».

cundario, en especial del *hojo*, las habitaciones del sumo sacerdote, la casa del té al lado y el relicario Toshogu. Kobori Enshu proyectó los edificios y supervisó su construcción por encargo de un influyente monje zen llamado Suden. El trabajo en sí fue realizado por varios *Kawaramono* famosos en la época Momoyama –el más famoso tuvo que ser Kentei, que también había participado en el complejo del *Sambo-in*–. El jardín meridional delante del *hojo*, proyectado también por Kobori Enshu, se concluyó en el año 1632.

Directamente delante del *hojo* se encuentra una superficie de arena rastrillada con la forma de una barca. En las esquinas oriental y occidental se levantan una isla de las grullas y una isla de las tortugas, dispuestas simétricamente con respecto al eje central del *hojo*. Entre ambas islas,

El jardín con lago e isla del Senshu-kaku, al pie
del palacio Tokushima, presenta seguramente el
grupo de piedras más dramático de la época
Momoyama.

El nuevo prototipo de jardín de la época Momoyama: roji, el rústico jardín del té

Té:
Elixir de los inmortales y bebida que fomenta la vida en común. Sobre la ceremonia estética y el ritual religioso de tomar el té.

Aunque resulte curioso, es un hecho indudable que la «creación» del jardín rústico del té coincidió precisamente con la ostentosa época Momoyama. Este jardín es un prototipo nuevo por completo, cuya concepción y uso no se deriva de un prototipo anterior. Su aparición está ligada al *wabi-cha*, el «sencillo e intimista ritual del té» que se consolidó en Japón a finales del siglo XVI. El jardín debía proporcionar un marco adecuado al *so-an*, la «choza de paja», un sencillo cenador rústico. Aquí se celebraban los rituales del «camino del té» llamados *sado* o *chado*, la ceremonia del té.

El jardín del té en sí se llama en japonés *roji*, que, dependiendo de la escritura, se traduce como «paso», «senda», «paisaje de chozas» o «lugar donde cae el rocío». A diferencia de los jardines que hemos visto hasta ahora, éste no tenía la función de ser contemplado simplemente. Más bien, según el sentido literal de la palabra, debía ser una parte del camino que hay que recorrer para llegar a la meta –el cenador del té–. Por tanto, desde el principio se proyectó para recorrerlo andando. El camino a través del *roji* se convirtió con el tiempo en un auténtico rito, una parte esencial de la ceremonia semirreligiosa del té.

El *wabi-cha*, el ritual del té, es una creación puramente japonesa aunque, como tantas cosas en Japón, tiene sus raíces en China. La práctica de tomar el té se conocía des-

de hacía mucho tiempo en el sur de China como un acto social y parte de un ritual estético-religioso. El té se apreciaba en este país ya desde la dinastía Han (206 a. de C.– 220 d. de C.), sobre todo por su efecto curativo para el cuerpo y el alma. Además, se le atribuían poderes mágicos. A partir del siglo VII se introdujo en los monasterios budistas como parte del ritual religioso y se utilizaba en la meditación por su efecto excitante. Theodore M. Ludwig ha escrito un estudio interesante sobre las influencias religiosas y estéticas en la ceremonia japonesa del té; en este estudio se ocupa también de la repercusión que tuvieron en el Japón las ceremonias chinas del té. En su opinión, lo importante es «la asociación del té con los poderes mágicos y con los inmortales del mito taoísta, y una sensibilidad para la autodisciplina y la simplicidad naturales que quizá se asociaran con el efecto astringente del té. La cultura japonesa adoptó también la práctica de tomar el té en reuniones con un gran sentido de la etiqueta y los buenos modales o bien en ceremonias religiosas que fomentaban el sentimiento de comunidad, así como la idea de que las cualidades estéticas del acto de tomar el té debían posibilitar al individuo la experiencia de la iluminación».[68]

Los sacerdotes budistas introdujeron en Japón la costumbre de beber té durante la primera oleada de influencia china, es decir, durante la época Nara; pero esta costumbre volvió a caer en el olvido hacia el final de la época Heian. No será hasta la época Kamakura cuando un hombre llamado Eisai, el fundador de la secta budista Rinzai, vuelva a revitalizar esta costumbre trayendo de China nuevas semillas de la planta del té y nuevos métodos de preparación. Su interés por el té no se basaba en razones sociales, sino más bien medicinales y morales. Creía que

era una bebida sana y consideraba el mantenimiento de la salud como una virtud budista.

Durante la época Muromachi se desarrollaron todo tipo de ritos y fiestas en torno al té que se habían olvidado desde hacía tiempo: por ejemplo, se organizaron festivas «pruebas de té» en las que no sólo se degustaban distintos tipos de té, sino también algunas otras bebidas (alcohólicas). Al mismo tiempo, el entendido podía entretenerse conversando, el amante del juego podía apostar o jugar con las damas y también había casas de baños. Para los shogunes Ashikaga de la elegante cultura Higashiyama, estas fiestas resultaban poco cultivadas y crearon en oposición a ellas sus propias ceremonias del té, unos actos muy formales. Su espíritu era afín al de los primitivos rituales budistas del té, pero, desprendidos por completo del marco religioso, tenían un carácter puramente profano. Es muy posible que tuvieran su origen en la idea de un hombre llamado Noami (1397–1471) que fue el consejero principal de Ashikaga Yoshimasa en cuestiones estéticas. En cualquier caso, Yoshimasa mandó celebrar sus ceremonias en el *shoin*, las estancias más elegantes en los edificios de los samurai y los monjes zen que se habían apoderado del poder y el reconocimiento social. Todo el ritual celebrado en el *shoin* giraba en torno al *daisu*, una estantería con los utensilios del té y pequeñas obras de arte –en su mayoría procedentes de China–.

Los japoneses llamaban *shin* a esta variante amanerada de tomar el té. El término procede del sistema clasificatorio de la caligrafía japonesa *sino*, donde designa los tres tipos de caligrafía más elevados y formalmente puros. *Shin* es, por tanto, la manera formalmente más pura de degustar el té.

Es muy probable que el monje Murata Shuko (1422–

1502) fuera el «creador» del *wabi-cha*, la forma reglamentada de tomar el té, todavía válida en la actualidad. Murata Shuko era discípulo de Ikkyu, un maestro zen iluminado e influyente que a lo largo de su vida intentó demostrar con el ejemplo que el «altruismo» de la doctrina de Buda también se podía poner en práctica en la vida cotidiana. Shuko construyó una pequeña cabaña rústica del té en el centro de la ciudad de Kioto, cuyas pequeñas dimensiones y aspecto modesto respondían a su pensamiento ascético. Así pues, sustituyó el elegante *shoin* por el *so-an*, la pequeña cabaña rústica con tejado de paja. En este lugar celebraba la ceremonia del té, para la cual ya no empleaba los utensilios chinos sino los japoneses. La estética de su ceremonia del té se llamaba *gyo* y tenía un carácter un poco más abierto y menos forzado.

El maestro del té Takeno Joo (1502–1555) perfeccionó todavía más la atmósfera ascética y sencilla del *gyo*. Era el vástago de una familia de guerreros y comerciantes del puerto cercano Sakai y pronto se había dado a conocer como maestro del *renga*, una forma poética japonesa. Como poeta sabía perfectamente la gran fuerza de atracción que ejercía en sus contemporáneos la cabaña de un ermitaño y la soledad poética. Siendo como era hijo de una familia de comerciantes y adepto al budismo zen, combinó en su ceremonia del té la cultura de la clase comerciante buguesa con la cultura zen que se había desarrollado sobre todo en el *Daitoku-ji* en Kioto. Esta combinacióon de cultura burguesa y filosofía zen también se puede observar en Sen no Rikyu, discípulo de Takeno Joo y procedente también de la clase de comerciantes. La ceremonia del té de Takeno Joo se clasifica en el sistema de la caligrafía japonesa *sino*, antes citada, en la clase del *so*, que se podría traducir con «estilo paja».

Puerta construida en el estilo samurai perteneciente a la escuela Omote-Senke en Kioto, vista desde una pequeña calle lateral.

Sen no Rikyu se suicidó (harakiri) por orden de sus superiores en el año 1501. Furuta Oribe (1544–1615) se convirtió en su sucesor como «sumo sacerdote» del té bajo el shogunado Tokugawa. Oribe cambió el estilo de su predecesor; introdujo en la ceremonia del té un matiz de algo selecto, *suki*, y un elemento frívolo, *asobi*. La cabaña del té volvió a aumentar de tamaño bajo su protección. Hay que señalar en particular que transformó el *roji*, «donde cae el rocío», que hasta entonces sólo había servido de paso, en un *cha-niwa*, un «jardín del té».

Cuando también Oribe se vió forzado a quitarse la vida, Kobori Enshu –que ya hemos citado como importante arquitecto de jardines– se convirtió en el más renombrado maestro del té en Japón. Su interpretación del *chado*, «camino del té», estaba muy influenciada por el neoconfucionismo de su tiempo. De aquí en adelante, desarrolló en el camino del té una estética basada en la estética clásica de la época Heian. Esta estética se puede designar con la palabra *kirei-sabi*, «elegancia y pátina». De este modo se estaba separando, sin lugar a dudas, de la estética wabi de Sen no Rikyu que cultivaba la simplicidad.

Para completar este corto resumen de la historia de la ceremonia del té, debo citar a Sen no Sotan, un nieto de Sen no Rikyu. Sen no Sotan era un monje zen del *Daitoku-ji*. También creía que «el té y el zen eran la misma cosa» y, en consonancia con este espíritu, creó la ceremonia del té llamada *wabi-suki*, en la que intentó combinar los ideales de su abuelo, disciplina y sencillez *(wabi)*, con el ideal de lo selecto *(suki)* de Furuta Oribe. Después de Sen no Sotan, la tradición de la ceremonia del té fundada por Sen no Rikyu se dividió en tres escuelas que hasta hoy continúan transmitiendo su doctrina de generación en generación.[69]

Roji:
El camino que conduce al so-an, la cabaña con tejado de paja, atravesando el lugar donde cae el rocío.

Desde comienzos del siglo XVI, los ricos comerciantes de Sakai y otras ciudades japonesas construyeron pequeñas cabañas del té en los jardines de sus casas urbanas de tamaño bastante reducido. Es evidente que estas cabañas eran mucho más pequeñas que las construidas posteriormente por los poderosos príncipe daimio en sus pretenciosos jardines. Con el paso del tiempo, los príncipes daimio y los shogunes acabaron por convertirse en grandes promotores de la ceremonia del té. El aprecio que los shogunes Nobunaga, Hideyoshi e Ieyasu tuvieron a los maestros del té se puede reconocer en el hecho de que éstos se encontraban entre sus consejeros políticos más importantes. La historia japonesa de la cultura considera la ceremonia del té, según el tradicional estilo wabi de Sen no Rikyu, como el punto culminante de la cultura japonesa del té. A continuación presentaré los diversos elementos del estilo Sen no Rikyu de la ceremonia del té, a partir de la descripción del *fushin-an*. Este «cenador de la falta de enjuiciamiento» se encuentra en la famosa escuela del arte del té *Omote-Senke*.

El propio Rikyu nunca vivió en este lugar, pero su hijo adoptivo Sen no Shoan (1546–1614) construyó en él una casa en 1594 y un pequeño cenador del té con una superficie de sólo tres tatamis (un tatami mide 90 centímetros por 180, nota del traductor). Puso al cenador el nombre *fushin-an*. Cuando murió, su hijo Sen no Sotan (1578–1658) levantó allí un cenador del té todavía más pequeño con una superficie de un tatami y medio. También le puso el nombre de *fushin-an*. El *fushin-an* que el turista actual puede visitar tiene otra vez la superficie de tres tatamis y fue obra de Soshin Sosa, el sucesor de Sen no Sotan en la cuarta generación. El conjunto donde se levantaba originariamente el *fushin-an*, la escuela *Omote-Senke*, fue reducido a cenizas, con excepción de los cimientos, durante el gran incendio de 1788. Hasta 1913 no se volvió a reconstruir, procurando atenerse a la idea original de Rikyu de un rústico cenador del té con jardín.

La palabra *roji* no sólo significa «camino», o más exactamente «camino de paso» sino que, dentro del debate budista, también se emplea como un término técnico para designar de forma aproximada un «espacio libre». Con él se pretende aludir al espacio que se encuentra más allá de la vida humana consumida por las pasiones e ilusiones. O

por lo menos este ha sido el comentario de Sen no Rikyu sobre el *roji*. En el *Namporoku*, un libro escrito por Nampo Sokei sobre la doctrina de Rikyu, se dice: «*Roji* es el maravilloso reino de la perfección del cuerpo y el alma. Nunca se ha designado el jardín de un profano con el término *roji*. Rikyu empleaba la palabra cuando pensaba en la pureza del espíritu liberado de toda la impureza y el sufrimiento humanos... La pureza interna, que en realidad se designa con la palabra *roji*, tiene su manifestación externa en un jardín natural con sus árboles y rocas». Nampo Sokei escribe en otro pasaje: «La ceremonia del té en la pequeña estancia sirve sobre todo para la práctica del budismo y tiene como meta la iluminación»[70].

Para entrar a la *Omote-Senke*, la famosa escuela del

Roji-mon, la estrecha puerta cubierta que da acceso al auténtico jardín del té. Una gran piedra natural redondeada cubre el suelo delante de la misma.

arte del té en el corazón de Kioto, hay que pasar por una estrecha calle lateral donde se abre la amplia puerta de madera de la escuela, similar a las puertas de las casas de los samurai (A). Una vez pasada la puerta, nos encontramos en un patio preliminar rodeado completamente por un seto de dos metros de alto de arbustos siempre verdes. El patio está pavimentado con grandes piedras labradas. El aspecto amplio, abierto y luminoso de este patio contrasta fuertemente con la estancia en el interior de la escuela a la que se accede acto seguido. Primero se llega a la entrada del *roji*, la llamada *roji-mon*, una puerta (B) tan estrecha que, para atravesarla, hay que hacer una especie de zigzag. De este modo se pretende que, cualquiera que desee entrar en el *roji*, se vea obligado a retardar el paso y así contemplar por un segundo el pequeño *roji* exterior a través del marco de la puerta.

Al continuar nos encontramos con el *soto-koshikake*, el quiosco exterior (C) que invita a perder un momento contemplando el entorno. A partir de finales del siglo XVI, el jardín japonés del té aparece dividido por setos y puertas en un *roji* interior y otro exterior. El *roji* exterior sirve para recibir a los invitados de la ceremonia del té, mientras que el *roji* interior está pensado como un lugar de reposo durante los descansos de la ceremonia del té. A veces también podemos encontrar jardines divididos en tres o más partes. Desde el banco de espera del *soto-koshikake* se puede contemplar un jardín completamente diferente a los jardines que hemos visto hasta ahora. En este jardín han desaparecido los claros elementos iconográficos como las islas de las tortugas y las grullas. El espacio se divide más bien mediante el dibujo de las piedras que señalan el camino, *tobi-ishi*, y que siempre son piedras sin desbastar. El anfitrión purifica las piedras para la ceremonia del té y

las rocía con un poco de agua antes de que lleguen los invitados. No se sabe con exactitud quien «inventó» estas piedras, pero se convirtieron en un elemento central de todos los jardines japoneses a partir de la época Edo. Es muy posible que al principio tuvieran una función práctica: puesto que los jardines estaban cubiertos con un musgo muy fino, las piedras se utilizarían para atravesarlo sin pisotear el mismo. Una sola pisada puede llegar a arruinar este musgo por mucho tiempo. Pero las *tobi-ishi* también servían para manipular el camino del visitante a través del jardín: las piedras le obligan a andar más despacio y le conducen por una ruta que le muestra de forma óptima las bellezas del jardín.

Pero no debemos olvidar que el *roji* no es sólo un objeto de contemplación, sino también el lugar donde se celebra la ceremonia del té. Todo en él tiende a que el individuo tome conciencia de su propio yo y del entorno, lo que casi nunca ocurre en la vida cotidiana: normalmente apenas somos conscientes de a dónde vamos, qué comemos o bebemos. El jardín y el cenador están concebidos para que el visitante se sienta incitado a tomar conciencia de todas estas actividades. La ceremonia del té es una técnica de meditación; el cenador y el jardín del té son un templo, quizá el único templo auténtico que el hombre haya construido jamás. A medida que el individuo vaya tomando conciencia de sus actividades cotidianas, será cada vez más consciente de sí mismo. ¿Podría tener un templo una función más sublime que ésta?

Posiblemente fue Sen no Rikyu el que transformó el *roji* de un pequeño y simple jardín en el camino hacia la ceremonia del té, en un lugar cuya travesía constituye ya un auténtico rito. A su influencia se debe también que las *tobi-ishi* superaran su función práctica como piedras para

Naka-kuguri, la «puerta que se atraviesa a gatas», da acceso al roji intermedio.

marcar el camino, y se convirtieran en instrumentos estéticos autónomos del jardín. Aunque no se sabe si en la colocación tobi-ishi predominaron los criterios funcionales o estéticos, es seguro que debían incitar al individuo a tomar conciencia de una de las actividades más simples y cotidianas del mundo: el andar. Se encuentran, por tanto, dentro del espíritu de Buda, cuyo método de meditación constaba de dos fases: el individuo debía sentarse primero y tomar conciencia de su respiración en esta posición, y después andar para tomar conciencia de los pies y las plantas de los pies. Con el paso del tiempo, las tobi-ishi fueron desplazando a los decorativos grupos pétreos, conocidos de los antiguos jardines japoneses, y se convirtieron en las composiciones pétreas por excelencia.

La función de las tobi-ishi se irá diferenciando progresivamente. Así por ejemplo, conocemos un subgrupo llamado en Japón yaku-ishi y que se podría traducir literalmente como «piedras con fines especiales». Entre ellas se encuentra la «roca de los invitados» sobre la que un invitado de alto rango o especialmente ilustre podía descansar los pies durante la ceremonia del té. También pertenece a este grupo la «roca del anfitrión» sobre la cual éste recibe a sus invitados. Cerca de la casa del té suele aparecer una pareja de piedras llamada «la roca de la espada». Justo al lado de la misma se encontraba un caballete para colgar las espadas.

Pero volvamos al roji en la escuela Omote-Senke. Desde el soto koshikake, el quiosco exterior, se descubre una hilera de piedras marcando el camino hacia un shitabara setchin, un pequeño servicio (D). Allí se encuentra también un tsukubai, una composición de piedras con una pequeña pila de agua hecha en piedra (E). Este era el lugar donde los invitados debían purificarse corporal y ritualmente.

Más adelante volveré sobre este nuevo e importante elemento del jardín japonés. Cerca del tsukubai se ha excavado un pequeño hoyo en la tierra, un chiri-ana, para enterrar la basura (F). El anfitrión lo llena de hojas y agujas de pino antes de que lleguen los invitados. De esta manera se simboliza que el jardín ha sido purificado. Por este mismo motivo aparecen en determinados lugares del jardín escobas y rastrillos; por supuesto que no se trata de las escobas con las que se ha barrido el jardín. Justo al lado de la entrada de la casa del té se encuentra otra chiri-ana. En ambos casos no se trata realmente de hoyos para la basura, sino que se deben entender desde un punto de vista simbólico: lugares donde los invitados deben dejar sus sentimientos y pensamientos impuros. La pureza interna y externa es uno de los preceptos de la ceremonia wabi del té. Según Rikyu, antes de entrar en el roji debemos liberarnos de las siguientes cosas que nos agobian: «tu religión, pensar en lo que posees, en tus suegros, en las guerras en el país y en las virtudes y los vicios del hombre»[71].

Desde el soto koshikake nos llama la atención otra hilera de piedras que conduce a una especie de puerta en el seto que separa el jardín exterior del jardín intermedio. Esta puerta se llama naka-kuguri, «puerta intermedia que se atraviesa gateando» (G). El anfitrión recibe en este lugar a los invitados de la ceremonia del té y, desde allí, los conduce al cenador del té. La naka-kuguri mide aproximadamente 60 por 60 centímetros y se puede cerrar con una puerta corredera de madera. Rikyu lo convirtió en una parte de la ceremonia del té y elevó el pasatiempo estético-social de tomar el té a la categoría de una experiencia religiosa: quien quiera atravesar esta puerta tomará intensamente conciencia de su cuerpo, ya que se ve obligado a arrodillarse y gatear para pasar al otro lado.

Baiken-mon, la «Puerta desde donde se pueden ver las flores del ciruelo», entre el roji intermedio y el roji interior del fushin-an.

El *naka-roji*, el jardín intermedio al que se accede a través de la *naka-kuguri*, es el auténtico jardín interior del té del *zangetsu-tei*, el «Pabellón de la luna menguante». Se trata de una casa del té de mayor tamaño según el estilo shoin. Una serie de piedras peculiares que marcan el camino y un *tsukubai* especial forman parte de esta casa del té. La *naka-kuguri* es la única puerta de acceso al *zangetsu-tei*. Fue construida por el hijo adoptivo de Rikyu, que se inspiró en la casa del padre en el palacio Juraku-dai de Hideyoshi. Ito Teiji opina lo siguiente sobre la misma: «La nobleza de esta arquitectura la convierte en una obra pionera del estilo sukiya»[72]. En el próximo capítulo nos volveremos a ocupar de este nuevo estilo arquitectónico. El edificio que vemos en la actualidad es una reconstrucción de 1913.

Siguiendo la segunda hilera de piedras que atraviesa la senda central, se llega a una fuente cuadrada (H). Su cubierta y el mecanismo elevador son de una belleza exquisita. El aprovisionamiento de agua en las ciudades se garantizaba casi exclusivamente mediante estas fuentes privadas, y el lugar central que las mismas ocupan en el jardín, subraya la importancia del agua en la ceremonia del té. Al final del jardín intermedio se encuentra otra puerta bastante sencilla, la *baiken-mon* (I), que por fin se abre al *uchi-roji*, el jardín interior del té. Éste resulta muy parecido al jardín exterior. Cuantos más obstáculos interrumpen el camino hacia el *so-an*, el cenador del té, tanto más sagrado parece el lugar.

Justo detrás del *baiken-mon*, a la derecha, se encuentra el *uchi-koshikake*, la casita de espera interior, una especie de banco con un tejadillo. Una ceremonia del té, celebrada correctamente según las reglas, suele durar unas cuatro horas. La ceremonia se divide en dos partes, la primera de las cuales incluye una comida ligera. A continuación se sirven dos clases de té, primero uno fuerte y después uno más suave. Los invitados suelen retirarse al *uchi-koshikake* durante el corto descanso entre las dos partes.

Cerca del *uchi-koshikake* se encuentra otro pequeño servicio, o *suna setchin* bien *kazari setchin*, que se podría traducir como «servicio decorativo» (K). No está pensado para utilizarlo realmente, sino para contemplarlo. Las *tobi-ishi* conducen después al invitado hacia una linterna de piedra (L) y un pequeño lavabo también de piedra (M) colocado delante de la entrada del *fushin-an*.

Dado que las ceremonias del té también se celebraban de noche, se necesitaban linternas para iluminar el camino a través del jardín. Las linternas solían estar cerca de las

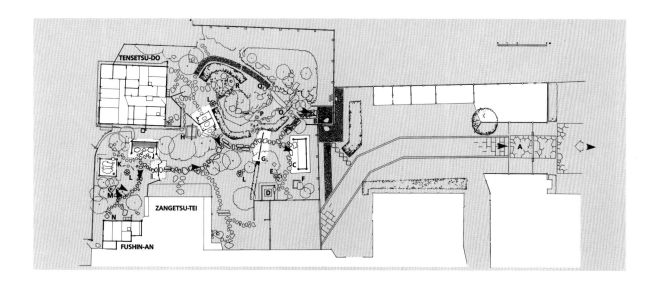

puertas, en lugares donde el camino giraba inesperadamente y cerca de los lavabos. Los *ishi-doro*, linternas de piedra introducidas con este fin por los maestros del té en el siglo XVI, ya eran usuales desde hacía tiempo en los templos y los relicarios. La linterna del *roji* interior del *fushin-an* ha mantenido el estilo del relicario Kasuga en Nara.

Antes de entrar en el cenador del té, el invitado se lava las manos y se enjuaga la boca en la pila de agua. Esta ablución tiene más un significado religioso que una función práctica. Aquí nos purificamos de todas las preocupaciones e impurezas espirituales que nos acompañan en la vida diaria. A partir del siglo XIII encontramos también pilas similares para las abluciones simbólicas delante de los relicarios sintoístas y junto a los templos budistas.

La pila con agua se llama *tsukubai*, que literalmente significa «lugar donde hay que arrodillarse» (M). El acto de arrodillarse, por tanto, también tiene aquí una particular importancia. Por eso el *tsukubai* se encuentra siempre en una especie de hondonada que realmente obliga a arrodillarse. Los japoneses llaman mar a la hondonada donde se encuentra el *tsukubai*. La piedra mayor del *tsukubai* se llama *chozubachi*, «pila para las manos». En los jardines del té, que conservan el estilo wabi de Sen no Rikyu, la *chozubachi* suele ser una sencilla piedra ahuecada. Normalmente hay un cuenco de bambú encima que se utiliza para coger agua. A derecha e izquierda de la *chozubachi* se encuentran dos piedras planas. Durante la ceremonia del té hay un cubo con agua caliente encima de una de ellas y encima de la otra una linterna de piedra. El invitado debe colocarse en una tercera piedra delante de la *chozubachi* para las abluciones rituales. El grupo de piedras del *tsukubai*, que al principio respondía más a una función

práctica, fue convirtiéndose con el paso de tiempo en el centro de atención estética. La forma fue adquiriendo más importancia que la función práctica y en la actualidad podemos encontrar también un *tsukubai* en jardines que no han sido proyectados para la ceremonia del té.

El cenador del té, *fushin-an*, no está muy lejos del *tsukubai*. Se entra en él a través de otra «puerta para gatear» (N), la *nijiri-guchi*. Esta puerta tiene las mismas medidas que la *naka-kuguri* entre el jardín exterior y el jardín intermedio: unos 60 centímetros por 60. Es decir, sólo se puede atravesar tomando conciencia del propio cuerpo y agachándose. Justo en el instante de penetrar en el santuario del jardín del té, el cenador del té, se vuelve a recordar al invitado que debe tomar conciencia de su cuerpo y comportarse con humildad. Durante la ceremonia, todas las diferencias sociales quedan suprimidas en el cenador y el jardín del té. Una vez que el invitado ha atravesado esta puerta «a gatas» y mira por primera vez en el interior del cenador, lo primero que ve es el *toko-noma*, una decorativa alcoba adornada generalmente con un rollo de pintura y una composición floral que el anfitrión ha escogido para la ocasión de la ceremonia del té.

Se supone que fue Sen no Rikyu quien integró por primera vez en la arquitectura del jardín del té esta «puerta para atravesar gateando», que pudo haber conocido de los almacenes y graneros coreanos.

El efecto psicológico que la *nijiri-guchi* tiene sobre el invitado es de naturaleza dialéctica: para el espectador que acaba de agacharse lo más posible, este reducido espacio con una superficie de tres tatamis resulta bastante amplio. Si hubiera entrado de pie, seguro que le habría parecido muy pequeño.

Por desgracia no podemos describir aquí detalladamente el espacio interno del *so-an* e intentar explicar el desarrollo de la ceremonia del té *cha-no-yu*, tal como ha sido transmitida por Sen no Rikyo o uno de los posteriores maestros del té; ello rompería el programa de este libro. El cenador del té se parece por fuera a la cabaña de un ermitaño en la que se ha cuidado mucho la simplicidad. Algunos de sus elementos formales proceden de la arquitectura tradicional de la casa rural japonesa. El interior se podría describir como una escultura que se puede recorrer andando. La división espacial con la ventana, el nicho de adorno y otros ornamentos será siempre el ejemplo más hermoso de la contraposición del ángulo recto y la forma natural. El refinamiento arquitectónico y su importancia en el ritual de la ceremonia del té han inspirado durante siglos la fantasía de literatos e historiadores del arte, hasta tal punto de que la bibliografía sobre esta joya arquitectónica ha alcanzado unas proporciones casi inabarcables. Nosotros quizá sólo debiéramos quedarnos con lo siguiente: desde el interior del *so-an* no se puede contemplar el jardín. Esta es una diferencia esencial respecto a los jardines de las épocas pasadas, el estilo shinden-zukuri de la época Heian o el estilo shoin en la época Momoyama. Allí nos habíamos encontrado siempre con una filosofía de la jardinería que intentaba combinar lo más estrechamente posible la casa y el jardín.

El mundo del *wabi-cha*, el ritual creado por Sen no Rikyu, es un mundo en el que se han cuidado hasta los detalles mínimos: la hora de preparar, servir y beber el té, así como los utensilios que se utilizan. Hasta el mínimo gesto se realiza poniendo la máxima atención; aquí reside el origen de la magia que anima la ceremonia del té: todo se convierte en gracia. De este modo los quehaceres cotidianos se convierten en arte.

¿Qué es, por tanto, lo peculiar del *cha-no-yu*, del camino del té, de la ceremonia del té? Sen no Rikyu responde a esta pregunta con un poema a la usanza de un maestro zen:

Cha-no-yu to wa	No olvides nunca
Tada yu wo wakashi	que el camino del té
Cha wo tatete	no es más que esto:
Nomu bakari nari	calentar el agua,
Moto wo shirubeshi	preparar el té y beberlo.

En el jardín del té se encuentra un segundo *roji* que forma parte de la casa del té *tensetsudo*, la «choza del copo de nieve». Se llega a él caminando desde el quiosco exterior y pasando a través de una «puerta colgante» (O) de bambú partido. Después hay que atravesar un pequeño puente (P) formado por una sola piedra natural por encima de un arroyo seco; al final del mismo se encuentra el *tsukubai*. Si entonces tomamos una pequeña senda empedrada y bordeada con setos, se puede ver el *tensetsudo* al final de la misma. Este pequeño jardín con unos pocos elementos causa un efecto enorme en el invitado. Parece como si el anfitrión, que lo espera en la puerta, hubiera descendido de su cabaña para recibirlo en el puente del arroyo que susurra situado en un profundo valle.

La relación de la época Momoyama con la naturaleza y el arte de la jardinería

Los maestros del té y los «comisarios de obras públicas» como autores del nuevo jardín

No puede sorprender la existencia de diversos ideales estéticos independientes desde el punto de vista social. Pero lo que resulta inusual es que una clase social adopte, de repente y al mismo tiempo, dos ideales estéticos completamente antagónicos. Y es ésto precisamente lo que ocurrió en la época Momoyama. Podemos tomar como ejemplo la adinerada capa social de comerciantes en Sakai, Osaka y Kioto, o bien los shogunes Oda Nobunaga y Toyotomi Hideyoshi: en el fondo todos seguían dos ideales estéticos contrapuestos. Los poderosos shogunes Nobunaga y Hideyoshi, amantes de la ostentación, tomaron a su servicio a Sen no Rikyu, el maestro de la simplicidad y la autodisciplina. Justamente porque apreciaban ambas cosas, el lujo y la sencillez. Hideyoshi, por ejemplo, mandó construir una cabaña del té wabi-cha en su palacio de Osaka, lo cual debía demostrar que era un hombre con gusto. Pero, al mismo tiempo, hizo construir una segunda estancia del té completamente dorada y hasta los instrumentos del té eran de oro puro. Tanto la sencilla wabi-cha como la estancia dorada eran móviles. Hideyoshi podía llevárselas cuando salía de viaje y exhibir así su buen gusto y su riqueza.

En los ricos comerciantes de las ciudades se puede descubrir una ambivalencia similar entre riqueza y simplicidad. Sus casas urbanas tienen muchas caras: en el frente delantero que daba a la calle documentan la posición y la fortuna del propietario con una extraordinaria ostentación.

Mientras que en el lado posterior, donde se encuentran los jardines del té, predomina el ideal estético de la simplicidad.

En algunas ocasiones ambos extremos llegan a acercarse tanto que se pueden contemplar a la vez. Por ejemplo en el suntuoso jardín del palacio Nijo, justo al lado del sencillo jardincito rústico del *fushin-an*.

Los creadores del *roji*, el nuevo prototipo de la época Momoyama, son sin duda alguna los miembros de la nueva clase dominante de la ciudad portuaria de Sakai, formada esencialmente por comerciantes adinerados. Aquí se encontraban los entendidos en té y los expertos en cuestiones de gusto y etiqueta que contribuyeron a imponer la idea de que «el té y el zen son una cosa». También compartían el amor del zen por la sencillez y su respeto a los pequeños quehaceres «sin importancia» de la vida diaria.

¿Quien creó entonces los fastuosos jardines en los palacios y residencias de los shogunes y los príncipes daimio que todavía mantenían el estilo de los antiguos jardines con lago, como en el jardín del palacio Nijo? ¿Quienes fueron los autores de los jardines de paisaje seco en los templos budistas, como el jardín del *Konchi-in*, que también se inspiraban en los antiguos modelos? Aunque estos jardines todavía se orienten formalmente en modelos anteriores, sus creadores ya no pertenecían a las clases sociales que tradicionalmente se habían dedicado a la jardinería. Tomemos como ejemplo a Kobori Enshu (1579–1647): procedía de una acomodada familia samurai y, a lo largo de su vida, ascendió a la categoría de los daimio. El gobierno central de Kioto le otorgó además el cargo de «Comisario de obras públicas», lo que le permitía mantener un estrecho contacto con la élite aristocrática del país. Evidentemente, su trabajo como artista fue diferente al de los *Ishitateso* y los *Kawaramono* que en tiempos pasados ha-

Jardín de paisaje seco con la linterna y la pila de
agua realizadas en piedra, típicas de la época
Momoyama. Durante la época Edo, los jardines
de paisaje seco se convirtieron en jardines del té.
El jardín reproducido en la fotografía se encuen-
tra en el Koho-an, un templo secundario del
Daitoku-ji, en Kioto. El proyecto fue obra de
Kobori Enshu.

bían sido los principales responsables de la jardinería. Probablemente Kobori Enshu, al contrario que éstos, no parti-
cipó nunca en los pormenores necesarios para la realización de un jardín, ni tampoco colaboró de forma directa
en las obras. Su tarea se limitaba a proyectar el jardín y
controlar la ejecución de sus proyectos. Los *Kawaramono*,
que bajo el shogunado Tokugawa habían vuelto al estatus
de marginados sociales, eran los que se encargaban de los
trabajos duros en el jardín. El último *Kawaramono* que
aún se consideró digno de ser citado en los documentos
oficiales fue Kentei, que trabajó a las órdenes de Kobori
Enshu en el complejo de *Konchi-in*.

La arquitectura sukiya – un nuevo marco para el jardín japonés

Del mismo modo que el jardín del té tuvo una enorme
influencia en la jardinería del Japón, la cabaña del té fue
una fuente de inspiración para su arquitectura. El estilo
radicalmente nuevo de la casa del té recibió el nombre de
arquitectura sukiya.

Sukiya significa algo así como «edificio de un gusto selecto». La palabra aparece por primera vez en un documento del año 1532. En las postrimerías del siglo XVI se
designaba con *sukiya* una casa del té aislada. No será hasta más tarde cuando la palabra se emplee para designar
cualquier edificio que presentara los elementos de la arquitectura de la casa del té. Según Ito Teiji, fue Sen no Rikyu
quien «creó el estilo sukiya» cuando proyectó el «*shoin* de
colores» en el palacio Juraku-dai de Hideyoshi, en Kioto.[73]
La casa del té Zangetsu-tei de la escuela Omote-Senke es
una versión menor y alterada de este edificio; el hijo
adoptivo de Rikyu, Sen no Shoan fue el responsable de su
proyecto y ejecución.

Tal como hemos indicado anteriormente, la arquitectura
del *shinden-zukuri* y del *shoin* se caracterizaba por dos
rasgos peculiares: a nivel simbólico expresaban solamente
el estatus social o religioso de su propietario, y a nivel estructural incluían diversas estancias bajo una forma de
techo dada. Fue la modesta cabaña del té la que liberó a
la arquitectura japonesa de las obligaciones de la tradición
y le otorgó una libertad y funcionalidad que, salvo aquí,
sólo se puede encontrar en la arquitectura moderna.

El estilo sukiya se desarrolló al principio como un variante peculiar del estilo shoin, la arquitectura de los samurai y
los sacerdotes budistas, pero adquirió un nuevo impulso al
volver a las raíces de toda arquitectura, las simples casas
rústicas. Este estilo superó con el tiempo todas las barreras
sociales y fue empleado en todos los edificios de Japón,
desde la casa del hombre sencillo hasta el palacio de recreo.

Un ejemplo especialmente hermoso de las características del estilo sukiya lo encontramos en la villa *Katsura*
construida en varias etapas, entre 1616 y 1660, por el
príncipe Hachijo no Miya Toshihito y su hijo Noritada . La
villa se levanta en la orilla oriental del río Katsura, en Kioto,
originariamente sólo tenía acceso por el río. El complejo de
la villa, como en realidad se debería decir, se compone de
tres *shoin* escalonados y cuatro cenadores del té de una
perfección insuperable que se acomodan maravillosamen-
te a un convencional jardín con lago. El jardín tiene las
dimensiones de los grandes jardines meridionales de la
época Heian. Pero, observando la elegancia y el gusto con
el que hasta el más pequeño detalle se inserta en el conjunto, podríamos decir que en este gran jardín predomina
el espíritu del jardín del té. No es de extrañar, por tanto,
que la villa del príncipe Toshihito siempre aparezca en los

La villa *Katsura*, en particular, y los edificios del estilo sukiya, en general, se diferencian de la arquitectura de los pequeños cenadores del té por el hecho de que sus edificios se abren completamente hacia el jardín. Parece como si el jardín se esparciera por todo el complejo, mientras que en los pequeños cenadores se deja conscientemente afuera. El interior del cenador del té debe ser un espacio cerrado al exterior, una estancia que, en cierta medida, se repliega hacia el interior. En la villa *Katsura* (y por lo común en el estilo sukiya), las estancias vuelven a ser abiertas y luminosas: el mundo exterior, el jardín, debe inundar el mundo interior.

No obstante, predominan los puntos comunes entre la arquitectura de los cenadores del té y el estilo sukiya. Como ejemplo habría que citar la predilección por las diagonales. Una línea diagonal suele guiar la atención del espectador hacia objetos concretos que tienen una importancia especial, así como hacia las puertas y los edificios. Otro elemento significativo es la predilección por la ordenación diagonal escalonada de los edificios, siendo la villa *Katsura* uno de sus ejemplos más elegantes. El resultado es evidente: no importa que nos encontremos dentro o fuera de un edificio, siempre nos vemos rodeados por un entorno, visiblemente modelado por el hombre, donde el ángulo recto se contrapone a la forma natural. La ordenación de los edificios en un modelo que posibilita una estrecha relación entre la arquitectura y el jardín, recibe en japonés el hermoso nombre *ganko*: «la formación de una bandada de gansos silvestres».

textos antiguos como «La casa del té a orillas del río Katsura». El modesto *roji* se convirtió en un elemento determinante de este jardín. El *roji* es una senda con delicadísimas piedras indicando el camino, que ofrece al espectador vistas siempre nuevas de los cenadores del té o singulares panoramas. El jardín de *Katsura* se convirtió en el modelo de los grandes jardines de paseo de la época Edo tardía.

El contraste entre el ángulo recto y la forma
natural. Vista desde el Shokin-tei, el «Pabellón de
los pinos y las campanadas» en el antiguo shoin
de la villa Katsura, en Kioto, construida entre
1616 y 1660.

Senda de piedras naturales que conduce al quiosco exterior de la casa del té Shokin-tei, que, aunque todavía no puede verse, se encuentra directamente en el eje del camino.

Senda de piedras naturales que conduce al quiosco exterior de la casa del té Shokin-tei, que, aunque todavía no puede verse, se encuentra directamente en el eje del camino.

Los ideales estéticos de la época Momoyama y su influencia en el arte de la jardinería

Wabi – Disciplina y simplicidad

Mirándolo bien, en realidad resulta asombroso que el jardín seco de la época Muromachi y el rústico jardín del té sean tan diferentes, ya que ambos surgieron en una época dominada todavía por el espíritu del zen. El jardín del té no es árido, pero tampoco presenta la sencillez monacal del *kare-sansui*. Tampoco se puede afirmar que la concepción estética del jardín del té dirija la mirada del espectador

hacia un imponente grupo de rocas. No, el jardín del té es un jardín húmedo, a menudo cubierto con musgo. Incluso las piedras que señalan el camino y el empedrado se riegan constantemente con agua. La simplicidad del jardín del té tiene, por tanto, una naturaleza diferente a la simplicidad del jardín seco. En el jardín del té tampoco aparecen plantas y flores exóticas que pudieran distraer al espectador sino, casi exclusivamente, sencillas plantas perennes de hojas brillantes que parecen pulidas con un paño. A lo sumo un arce o un ciruelo abre sus delicadas flores en la primavera y pone un poco de color en el jardín. La relación del hombre con la naturaleza o con la naturaleza remodelada artificialmente, que domina en el jardín del té, es de un tipo extremadamente natural e incluso «cotidiano». En esta cotidianeidad se descubre el ideal estético del *wabi*, que intenta tomar algo de lo cotidiano, lo sencillo, lo modesto o lo rústico.

El *wabi* de Sen no Rikyu se basa, en cualquier sentido, en una estética de la moderación: el espacio donde se celebra la ceremonia del té tiene que ser lo más pequeño posible, los colores son apagados y los adornos se reducen al mínimo. La meta es el abandono de todo lujo terrenal. A primera vista, esta moderación recuerda a la estética medieval del *sabi*, el amor por las rocas erosionadas y la pátina del tiempo. Pero la estética del *wabi* de Sen no Rikyu tiene un sentido bastante más profundo.

Existe una historia sobre Sen no Rikyu que ilustra con gran acierto su postura ante al arte de la jardinería: una hermosa mañana entró en un jardín del té y lo encontró cubierto con las hojas de un árbol que crecía allí. La escena le encantó. Cuando volvió más tarde, el anfitrión había recogido todas las hojas con el rastrillo. Esto no le gustó en absoluto y, según se dice, sacudió suavemente un árbol

Vista del lago central desde el Shokin-tei, el
«Pabellón de los pinos y las campanadas»; al
fondo se puede ver el antiguo shoin de la villa
Katsura, en Kioto.
(ver págs. 26, 166–167)

hasta que algunas hojas cayeron al suelo. Entonces ordenó que el jardín del té no se limpiara justo antes de una ceremonia del té, sino algunas horas antes para que así se acumularan por lo menos algunas hojas en el jardín. Aunque amaba la pureza, deseaba que el jardín del té tuviera un aspecto natural. El jardín debía imitar los fenómenos de la naturaleza. Pero es posible ilustrar su ideal del jardín desde otra perspectiva. Sus jardines representaban ante todo paisajes rurales dominados por una sencilla cabaña con tejado de paja; sin embargo, y este es el quid de la cuestión, siempre se encontraban en medio de una gran ciudad.

Suki – el gusto y las preferencias personales

En su libro sobre la historia del jardín, el experto japonés Tanaka Seidai defiende la tesis de que existe una brusca ruptura entre el jardín del té de Sen no Rikyu y el de Furuta Oribe. En su opinión, esta ruptura se debe sobre todo a la concepción del jardín del té. Oribe siempre recogía las hojas y sólo repartía cuidadosamente agujas de pino por todo el jardín. Y no sólo alrededor de los árboles –no importa que fueran coníferas o no–, sino también alrededor de las piedras que marcaban el camino. Según Tanaka Seidai, esto prueba, en contraposición a Sen no Rikyu, el desinterés de Oribe por una simple imitación de la naturaleza. Esto se podría reconocer también en otros indicios. La idea de Oribe de pavimentar los caminos del jardín con piedras sin desbastar o talladas, muestra claramente una voluntad artística que se impone a la naturaleza. Lo mismo se puede decir de los cantos rodados azulados y las agujas de abeto que Oribe mandó esparcir en el *roji* exterior e interior respectivamente.[74]

Esta «ruptura» entre Rikyu y Oribe, documentada por Tanaka, tiene gran importancia para la historia de la jardinería japonesa. Oribe no pretendía imitar la naturaleza en sus manifestaciones externas, como los artistas de las épocas Nara y Heian, pero tampoco según sus reglas internas, como era el caso en la época Muromachi. Sen no Rikyu quería imitar la naturaleza en todas sus manifestaciones, mientras que Oribe pretendía crear otra naturaleza, una segunda naturaleza. Lo hizo santificando el uso de las formas ortogonales, como las piedras talladas que marcaban los caminos, y siguiendo únicamente su gusto personal, y no los procesos naturales, a la hora de proyectar los jardines. Por eso se esparcían agujas de abeto debajo de los árboles de fronda. Oribe estaba enfrentando la voluntad creativa del hombre a la naturaleza.

Sakui – Creatividad y originalidad

El nuevo ideal de belleza de los maestros del té era, en definitiva, un ideal que concedía mucho valor a la originalidad del artista. La importancia fundamental recaía en el *sakui*, la creatividad individual, y no en la imitación de la naturaleza o los modelos de los viejos maestros. Esta nueva creatividad se nutría en parte de la reinterpretación de antiguos valores y la remodelación creativa de convenciones pasadas. Las linternas y las pilas de piedra, comentadas anteriormente, ya se utilizaban desde hacía tiempo, pero asumieron un nuevo significado al convertirse en elementos integrantes del jardín del té.

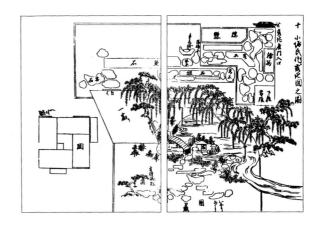

Shokoku chaniwa meiseki zue: un libro ilustrado sobre famosos jardines del té del siglo XVII

El *Shokoku chaniwa meiseke zue* es un resumen del *Kokin chado zenshu*, una especie de «compendio de la ceremonia del té» editado por primera vez en 1694. En varios volúmenes se recogen artículos sobre los aspectos más diversos de la ceremonia. El volumen quinto del *Kokin chado zenshu* trata las cuestiones especiales del jardín del té y estaba muy solicitado, de ahí que muy pronto se publicara como una obra independiente en dos volúmenes con el título *Shokoku chaniwa meiseki zue*. A diferencia de los libros sobre la jardinería de las épocas pasadas, este ejemplar no recoge la ciencia secreta de un grupo particular de artistas privilegiados. Los grabados superiores muestran tres bocetos a doble página extraidos del *Shokoku*. En ellos se representan los jardines de los tres maestros del té más influyentes en la antigüedad: Sen no Rikyu, Furuta Oribe y Kobori Enshu.

Desde el punto de vista de la técnica gráfica, estos bocetos hacen referencia a una nueva técnica en la representación de los jardines. Aunque todavía no se ha desarrollado por completo, se reconoce fácilmente que algo está cambiando. En realidad aquí se superponen dos técnicas descriptivas: mientras que algunos edificios y sendas se representan como en un plano a vista de pájaro, otros elementos del jardín –árboles, rocas, linternas y puentes– aparecen en perspectiva. Se podría decir que nos encontramos al principio de un complicado sistema de anotación en secuencias que registra las impresiones de una persona que se mueve por las sendas esbozadas en el plano. Puede que por esto mismo se subraye la importancia del «camino que conduce al destino» en la representación de los tres jardines que, además, están divididos en un *roji* interior y uno exterior. Gracias a los instrumentos gráficos, las imágenes ponen de manifiesto que el *roji* no es otra cosa que el camino que conduce a la auténtica meta, el cenador del té.

El jardín de Sen no Rikyu es el más sencillo de los tres si tenemos en cuenta la cantidad de los detalles. Todos los elementos de este jardín son naturales. El jardín de Oribe muestra un carácter esencialmente más detallista, pero también más «amanerado»: caminos pavimentados con piedras labradas, numerosas linternas de piedra y refinadas pilas para el agua. El jardín de Kobori Enshu, el maestro de la jardinería con setos recortados, avanza aún más en la dirección de Oribe: la voluntad artística se impone directamente a la naturaleza.

En estos grabados también se aprecia la importancia que el dibujante concedió a la estrecha relación entre los edificios y el jardín. En este sentido, el estilo sukiya fue la variante más elegante que se puede encontrar en Japón. Esta relación documenta también la hermosa contraposición entre el ángulo recto y la forma natural: si no fue para recalcar la abundancia de formas naturales en contraposición con el ángulo recto, entonces ¿por qué se colocaron piedras rectangulares en el jardín?

*El Shigure-tei, el «Pabellón del chubasco otoñal»,
se comunica con el Kasa-tei del fondo a través
de un pórtico.*

*Kasa-tei, el «Pabellón del parasol». Ambos pabe-
llones se encuentran actualmente en el templo
Kodai-ji, en Kioto.*

Combinación de las piedras cuadradas con una
senda en zigzag empedrada con pequeños
cantos rodados naturales en el Onrin-do,
un pequeño templo conmemorativo de la
villa Katsura.

El puente Shirakawa visto desde la casa del té
Shokin-tei. El puente, construido al estilo de la
época Momoyama, se compone de una sola
piedra trabajada.

Vista de la pequeña isla cubierta con cantos rodados que reproduce la península Amano-hashidate, una de las tres bellezas naturales más famosas del Japón. Se trata de un ejemplo clásico de la técnica shukkei, la reproducción en miniatura de modelos reales, situado en la parte este del jardín con lago de la villa Katsura.

名所

Paisajes famosos de la literatura y la realidad

El jardín como sustituto del viaje

Durante la época Edo predominan los jardines que imitan de forma estereotipada el jardín con lago y el jardín seco de épocas anteriores. Además se pone en boga el *shakkei*, el arte de incorporar en la composición los elementos del paisaje del entorno. El nuevo prototipo de jardín, desarrollado en esta época, es un jardín de paseo en el que, a lo largo de un recorrido prescrito, el visitante es conducido por un camino que le ofrece una serie de *meisho*, «vistas famosas». Estos *meisho* pueden ser reproducciones a escala de bellezas naturales famosas o alusiones a las mis-

mas, pero también pueden representar paisajes ficticios ensalzados en la poesía. Este nuevo tipo aúna los elementos de todos los prototipos anteriores. Una nueva clase de artistas profesionales, los *niwa-shi*, realizó casi todos los jardines de la época Edo por encargo de los ricos príncipes daimio. El jardín de paseo es un tipo secular que pretende imitar la naturaleza en sus manifestaciones externas. Así pues, se incluye en la tradición de los jardines de la época Heian, aunque los jardines de la época Edo son mucho más amplios y reflejan el gusto de la época.

Página precedente:
El parque Joju-en en Kumamoto: colina artificial
cubierta de hierba situada entre las islas y a lo
largo de la orilla.

De la época Edo a la época Meiji

Los shogunes Tokugawa, que, por lo menos formalmente, habían recibido su poder de manos del emperador, fueron unos políticos con mucho éxito. Consiguieron gobernar pacíficamente el país durante los dos siglos y medio siguientes y mantuvieron el poder en el seno de la familia.

Sistema político y relaciones sociales

Durante esta época, los Tokugawa siguieron una política exterior de aislamiento. Estaba mal visto el comercio y el intercambio cultural con otros países. En el interior del país se esforzaron por mantener el status quo. La situación de la sociedad japonesa se paralizó y las diferencias de clase se convirtieron en barreras casi insalvables. La ética neo-confucionista fue el fundamento ideológico de esta política. En el vértice de la pirámide social se encontraba la familia de los shogunes, después le seguían los príncipes daimio, los samurai y, por último, campesinos, artesanos y comerciantes. Cada capa social desarrolló su propia cultura y sus propios ideales estéticos.

Un importante pilar de la estabilidad social y la paz interna durante la época Edo fue una ley promulgada en dos fases en 1635 y 1642. Según la ley Sankin-kotai, el «deber de estancia temporal», el daimio estaba obligado a permanecer la mitad de cada año en la capital Edo. Esta ley preveía también que los daimios alojaran a sus familias en Edo, cuando ellos viajaban por sus territorios. De esta forma, los Tokugawa tenían bajo su control a las familias de los príncipes cuando éstos no se encontraban en Edo. Así fue como aseguraron su preponderancia frente a las posibles intrigas políticas de los poderosos daimio. Este sistema debilitaba también su poder, ya que los príncipes debían invertir mucho dinero para las caravanas de ida y vuelta a Edo y además tenían que mantener uno o varios palacios en la capital.

Un efecto secundario de esta regulación fue que Japón consiguió pronto una buena red de carreteras, utilizadas por los daimio en los viajes entre la capital y sus principados. Edo se convirtió así en un interesante lugar cultural donde se reunía la élite de todo el imperio. El sistema resultó ser un éxito, puesto que arruinó a los príncipes daimio hasta el punto de que nunca pudieron organizar una revuelta en contra de los shogunes Tokugawa. Los señores feudales se fueron debilitando tanto con el tiempo que el orden feudal japonés terminó por derrumbarse.

El ascenso de una cultura burguesa urbana

La clase social que según las categorías de la época Edo ocupaba el rango inferior, es decir, la clase de los comerciantes urbanos, se convirtió finalmente –esta es la ironía de la historia– en la capa social más rica y poderosa del país. La nueva clase acomodada de las ciudades con un afán de ostentación, pudo liberar nuevas energías creativas en todos los ámbitos del arte. Mientras que la clase de los guerreros y los campesinos, que dependían por completo de la agricultura, fue empobreciéndose cada vez más.

El periodo que se extiende desde finales del siglo XVII hasta principios del siglo XVIII se llama época Genroku. Los centros culturales y económicos del país eran Osaka y, con algunas restricciones, también Kioto. Edo era todavía una

Vistas idílicas con un marco ortogonal: este es el nuevo tema de los grandes jardines de paseo de la época Edo y el ukiyo-e, la xilografía que representa escenas del «mundo suspendido». El grabado del famoso xilógrafo Hokusai es una «Vista del monte Fuji» perteneciente a la serie «36 vistas del monte Fuji».

ciudad demasiado joven y, además, el antiguo espíritu de la clase de los samurai estaba demasiado presente como para que hubiera podido surgir una competencia seria entre estas ciudades. *Bushido*, el «espíritu de la clase guerrera», el código ético del samurai que dominaba la ciudad, no armonizaba del todo con aquella época de paz que duró doscientos cincuenta años. En el arte de los samurai seguían predominando las artes tradicionales, el clásico teatro noh, la ceremonia del té y el arte del ikebana. Mientras que la cultura de los comerciantes urbanos en auge continuó perfeccionando las artes más bien plebeyas del teatro kabuki y el teatro de marionetas bunraku. *Ukiyo*, el «mundo suspendido», el barrio de las diversiones, decadente, frívolo y excéntrico, sirvió de inspiración a la literatura y el teatro de su tiempo. Los artistas siempre encontraron allí temas nuevos e interesantes. Las narraciones de viajes de Basho y el arte de Haiku, una nueva forma de poesía, en la que el poeta formulaba su mensaje en diecisiete sílabas, son otros productos de esta fase creativa de la cultura japonesa. También es interesante que la cultura de los comerciantes consiguió con la xilografía un medio gráfico nuevo de reproducción mecánica y apartó su atención de la pintura creadora de piezas únicas. La xilografía, que al principio sólo permitió la impresión de grabados en blanco y negro, había llegado a perfeccionarse a mediados del siglo XVIII hasta el punto de que ya era posible imprimir grabados en color. Otro rasgo característico de la nueva cultura urbana eran también los temas de los grabados, *ukiyo-e*, imágenes del «mundo suspendido»: los artistas tratan una y otra vez en sus cuadros el ambiente del teatro kabuki y las prostitutas en los barrios de diversión.

El periodo que se extiende entre finales del siglo XVIII y comienzos del siglo XIX se llama época Bunka-Bunsei. Durante este periodo, Edo, la actual Tokio, fue ganando cada vez más importancia cultural y económica frente a Osaka y Kioto. En este tiempo no surgió ninguna forma literaria o teatral importante, mientras que la pintura experimentó un periodo de apogeo. Integró elementos del *bunjin* chino, un estilo pictórico académico que se caracteriza por la suavidad de los colores, así como la delicadeza y sensibilidad de la pincelada. Nagasaki, situada en el sur de Japón, era el único puerto abierto a los artistas bunjin procedentes de China. Aquí fue donde también se asentaron los primeros portugueses *namban*, los «bárbaros del sur», y algunos comerciantes holandeses.

El importante desarrollo de la técnica y la temática de la xilografía, influenciada también por los temas y la técnica del *ukiyo-e*, se asocian sobre todo con dos nombres: Hokusai Katsushika (1760–1849) e Hiroshige Ando (1797–1858). Ambos habían aprendido nuevas técnicas en occidente y las introdujeron en el arte japonés pero, de forma inversa, también influyeron en el arte occidental. Aunque cada uno lo hizo a su manera, ambos trataron un tema completamente nuevo: el paisaje japonés. Una y otra vez pintaron los famosos paisajes japoneses, la atmósfera durante las distintas estaciones del año y las tareas del hombre en el campo. Series como «36 vistas del monte Fuji», de Hokusai o «53 estaciones a lo largo del Tokaido», de Hiroshige, han inmortalizado el paisaje japonés.

La típica isla de las tortugas, en este caso no como metáfora, sino como una realidad palpable en el jardín japonés.

Corrientes y contracorrientes intelectuales

Los shogunes Tokugawa fomentaron una ética neoconfucionista ortodoxa porque suponía una base ideológica excelente de la situación social. Por supuesto que también había pensadores en contra del neoconfucionismo de los Tokugawa: la *Kogaku-ha*, «Escuela del saber antiguo», por ejemplo, criticaba la disposición sucesoria según la cual el poder pasaba, casi automáticamente, de un Tokugawa a otro, y exigían el retorno a la primitiva doctrina de Confucio, partidaria de que el derecho a ejercer el poder político dependía de los méritos intelectuales. Los pensadores de la *Kogaku-ha* formularon también el *bushido*, el nuevo código ético del samurai.

En los siglos XVIII y XIX surgió otra escuela filosófica, la

Kokugaku-ha, «Escuela del saber nacional». Esta escuela denunciaba el confucionismo como un código de pensamiento y de conducta ajeno al carácter japonés. En lugar de la ética confucionista, prefería ocuparse de los orígenes de la lengua y la literatura japonesa para profundizar en la esencia interna del Japón. Al aceptar el panteón sintoísta y la doctrina del origen divino del emperador, creó el fundamento para el restablecimiento del poder imperial y el nacionalismo de la época Meiji. Durante esta época, Japón, en parte confucionista y en parte sintoísta, fue dominado completamente por el sintoísmo.

Una tercera escuela filosófica, la *Rangaku-ha*, recibió su impulso decisivo con la presencia holandesa en Nagasaki; Holanda era el único país occidental que tenía permiso para comerciar con Japón. Los holandeses trajeron consigo la segunda oleada de influencia occidental en Japón. La primera se había interrumpido bruscamente por miedo al cristianismo durante las largas guerras civiles al comienzo de la época Momoyama. Los sabios de la *Rangaku-ha*, sin embargo, no tenían especial interés por los problemas filosóficos y éticos, sino que intentaron descollar en el terreno de la técnica y la ciencia. Escribieron ensayos sobre medicina, trazaron la cartografía del país y estudiaron la técnica occidental del dibujo en perspectiva.

Con la caída de los Tokugawa también se puso de manifiesto que el problema esencial de la modernización de Japón estribaba, para expresarlo con las palabras de Paul Varley, «en poder encontrar una combinación de ética oriental y tecnología occidental»; o según otra expresión de Varley: «Cómo aprovechar en Japón las ventajas materiales de la revolución industrial de occidente, sin perder los lazos sociales que surgen en Japón a partir de la ética tradicional»[75].

Formas estereotipadas del jardín con lago de la época Edo

Durante la época Edo se crearon muchos jardines con lago; los más hermosos e impresionantes datan de la época Edo *temprana*. Muchos de ellos se integran en complejos religiosos budistas, donde a menudo se unen al *shoin* de la vivienda del sumo sacerdote. Los jardines se utilizan fundamentalmente para pasear, aunque su concepción estética pretende crear un cuadro tridimensional visto desde el *shoin* que aparece enmarcado por los ángulos rectos del edificio. La novedad reside en que a menudo se proyectaron junto a colinas ya existentes, con lo cual se podía suprimir el trabajo de levantar un monte para el jardín. Su proximidad al *shoin* se debe también a motivos de orden práctico: como en la construcción del *shoin* se empleaban, casi exclusivamente, la madera y otros materiales de fácil combustión, era muy alto el peligro de incendios. Los lagos servían, por tanto, como depósitos de agua en caso de incencio. Quiero presentar ahora cuatro de los jardines con lago más hermosos de la época Edo.

Emman-in

El jardín del templo *Emman-in* está integrado en el complejo religioso Enjo-ji, en Otsu. Se une a un edifio del estilo shinden-zukuri donado al templo por el emperador Meisho en el año 1647. Shigemori Mirei opina que el jardín también se realizó por esta época. El conjunto es muy parecido al *Sambo-in* de Hideyoshi, realizado en la época Momoyama. El lago alargado, que discurre de este a oeste, presenta una isla de las grullas y otra de las tortugas. Según el estilo de la época encontramos una gran composición de rocas en la orilla oriental del lago representando al monte Horai. Estas composiciones pétreas a lo largo de la orilla son unas de las más hermosas en este jardín. Detrás del lago, el terreno se eleva progresivamente. Allí se ha podido trazar un auténtico sendero. Una pequeña corriente de agua desemboca en el lago por el suroeste, detrás de la desembocadura aparece una cascada seca en la ladera de la montaña. El jardín constituye en general un ejemplo clásico del jardín anejo a los edificios de vivienda de un templo.

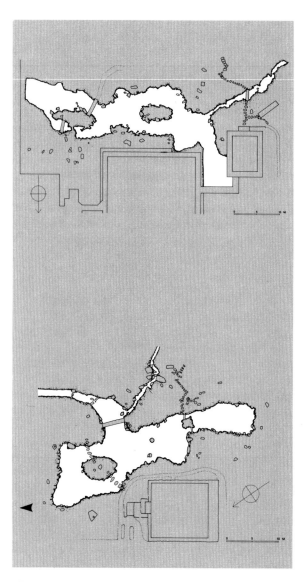

Arriba:
Plano de construcción del jardín con lago largo, estrecho y de sentido transversal que se encuentra en la cara sur del shinden en el templo Emman-in, en Otsu.

Abajo:
Plano de construcción del estrecho jardín con lago en el Ojogokuraku-in, el «Templo del renacimiento en el paraíso», templo secundario del Sanzen-in, en Ohara, al norte de Kioto.

Sanzen-in

El Sanzen-in, un templo perteneciente a la secta budista Tendai, se encuentra en el norte de Kioto. Es posible que uno de sus edificios, el *Ojogokuraku-in*, estuviera inspirado en el estilo del templo Emman-in. El jardín se realizó poco después, entre 1648 y 1654. Una ladera empinada también forma parte de la composición del jardín. El lago de este jardín también es largo y estrecho como en el *Emman-in* y presenta las tradicionales isla de las grullas de pequeño tamaño y una isla de las tortugas relativamente grande. El contorno de la orilla describe más curvas y el arroyo fluye de la colina este hacia el lago.

Sin embargo, al contrario que el *Emman-in*, no se trata del jardín de un *shoin*, desde el cual se debía contemplar. Por eso Shigemori Mirei se inclina a ver en este jardín un buen ejemplo de los jardines concebidos como un depósito de agua para ser utilizado en caso de incendio. La configuración del jardín protege del fuego a una figura de Buda Amida colocada en el pabellón principal. Numerosos cedros japoneses y arces de gran tamaño dan sombra a una superficie de musgo de aspecto impecable en el norte del lago.[76]

Chishaku-in

El jardín con lago del *Chishaku-in*, un templo de la secta budista Shingon situado en el sureste de Kioto, se realizó posiblemente en 1674. Este jardín se extiende sobre un eje norte-sur que discurre a lo largo del *shoin*, la vivienda del sumo sacerdote y el pabellón principal del templo. Como en los casos anteriores, se ha incluido en la composición una ladera natural. Una parte del jardín al norte del *shoin*

*Vista del jardín en torno al «Templo del renaci-
miento en el paraíso» con el marco ortogonal de
la arquitectura del templo.*

*El jardín del templo Chishaku-in en Kioto, donde
una ladera natural se incluye en la arquitectura
del jardín.*

época Edo. Delante de la cascada aparece en el lago una hermosa isla de piedra. Tres piedras azuladas y planas forman un puente hacia la ladera. Es posible que este puente al estilo de las épocas Muromachi o Momoyama sea un resto de un jardín de la época Momoyama que se levantaba en este lugar.[77]

Joju-in

El *Joju-in* es un jardín con lago en la cara norte del *hojo*, la vivienda del sumo sacerdote, en el famoso templo Kiyomizu, en las montañas al sureste de Kioto. El aspecto actual del *Joju-in* data posiblemente de la época Genroku (1688–1703). En este jardín encontramos también dos islas, siendo la mayor la isla de las tortugas. Esta se une a tierra firme mediante dos puentes, uno a base de piedras naturales y el otro formado por una construcción de madera cubierta con una capa de tierra. En el centro de la isla de las tortugas se yergue una composición de rocas con una muy parecida al tocado tradicional de los nobles y los sacerdotes, el *eboshi*, que también es el nombre del grupo de piedras. La época Edo tenía una marcada inclinación por semejantes curiosidades. En esta época se tenía preferencia por las rocas, linternas y pilas de formas extrañas. La isla de las grullas, de menor tamaño, se encuentra en el sudeste del lago.

El monte situado en el este aparece cubierto por azaleas recortadas que, en los límites del jardín, se van integrando en el paisaje natural de forma imperceptible. Una pequeña linterna destaca en un pequeño claro del bosque a lo lejos y guía la mirada del espectador más allá de los límites del jardín, hacia los montes que se elevan en el norte. Mediante este truco doble, desdibujar los límites del jardín interca-

data de finales de la época Edo o principios de la época Meiji y presenta una forma bastante peor. Aunque existe un sendero en la ladera, el jardín se ha proyectado para que el visitante lo contemple desde el mirador o en el *shoin*, que ofrecen las vistas más fascinantes. La situación del jardín, justo debajo del *shoin*, resulta inusitada para la jardinería de esta época. De ahí que Shigemori Mirei piense que el actual complejo data de la época posterior al incendio de 1682. En el centro de la composición en el declive del este se encuentra una cascada seca con un puente a base de una piedra labrada. La disposición de una cascada seca como centro de atención en una ladera escarpada es un rasgo bastante típico de los jardines de la

Jardín con fuente y lago del templo Joju-in, en Kioto, con un furisode (pila de agua) que se puede utilizar desde el mirador.

lando diestramente los arbustos recortados con los naturales, y conducir la mirada del espectador hacia lo lejos, el jardín parece mucho más grande que sus dimensiones reales, 594 metros cuadrados. La composición del jardín «toma prestados» los montes del fondo con la ayuda de linternas de piedra y los setos recortados en sentido horizontal. Resulta evidente que la linterna de piedra ha adoptado una función completamente distinta a la original. Si al principio era una fuente luminosa en templos y relicarios, más tarde se convirtió en un elemento decorativo de los jardines del té que, en un pequeño jardín, sirve para crear la ilusión de amplitud. Delante del mirador aparece otro elemento típico de la época Edo. Se trata de una *furisode*, un pilar de piedra para el agua cuya forma recuerda a la larga manga de un kimono. Esta pila también ha perdido su función primitiva como lugar de la purificación.

Formas estereotipadas del jardín de paisaje seco de la época Edo

La época Edo temprana fue también la época del gran renacimiento de los jardines de paisaje seco. Shigemori Mirei se ocupa en su libro sobre el *kare-sansui* de 44 jardines secos de este tiempo. Pero hay que tener en cuenta que tanto el jardín de paisaje seco como el jardín con lago de la época Edo, en realidad sólo son imitaciones estereotipadas de jardines de épocas anteriores. El *kare-sansui* de la época Edo no es más que un débil eco de sus predecesores de la época Muromachi que, o bien representaban una composición muy abstracta dentro de un marco ortogonal, como el *Ryoan-ji*, o bien se habían proyectado a modo de paisajes naturales con un simbolismo múltiple dentro de una composición libre, como en el caso del

Taizo-in. A pesar de la originalidad de los primitivos *kare-sansui*, no debemos olvidar que estaban inspirados en la pintura paisajística monocroma de origen chino. A continuación me gustaría presentar dos jardines. Uno como ejemplo de la tradición del «paisaje natural con un significado simbólico» y el otro como ejemplo de la «composición abstracta».

Manshu-in

El *Manshu-in*, al pie de los montes del noreste de Kioto, rodea un *shoin* grande y uno pequeño. Tanto el conjunto como los detalles del jardín, creado en 1656, nos recuerdan a un jardín con lago que ha sido desecado. La mejor vista se obtiene desde el pequeño *shoin*. Desde aquí se pueden reconocer casi todos los rasgos tradicionales de un jardín seco que representa un paisaje natural: a mano izquierda se eleva un monte artificial con un grupo de rocas como símbolo del monte Horai, un poco más lejos se aprecia un arroyo seco con un puente formado por piedras sin desbastar; además existe una península que destaca en el lago seco y se comunica con la isla de las grullas en el extremo occidental del jardín a través de un puente formado por losas de piedra.

En la isla de las grullas hay un grupo de tres rocas y una pequeña linterna de piedra. Justo delante existe una pequeña isla de las tortugas como si estuviera flotando en el agua. En la estrecha franja entre la pared oriental del *shoin* pequeño y la ladera escarpada del monte artificial, aparecen algunas *tobi-ishi* (piedras marcando el camino) colocadas con un gran sentido de la armonía espacial. Conducen a un pequeño cenador del té junto al *shoin*.

Un jardín seco dentro de la tradición de los jardines que copian paisajes naturales: jardín del templo Manshu-in visto desde la terraza del shoin grande. En primer término: la isla de las tortugas.

Nanzen-ji

El *Nanzen-ji*, al pie de los montes orientales de Kioto, es un templo zen de la secta Rinzai. El jardín meridional delante del *hojo*, la casa del sumo sacerdote, sigue por completo la tradición de los jardines zen del *Ryoan-ji*, es decir, que tiene un alto grado de abstracción. Aunque es ligeramente menor que el anterior –el *Ryoan-ji* tiene 540 metros cuadrados y el *Nanzen-ji* 425–, presenta importantes diferencias, tanto en el trazado general como en las composiciones de rocas. Esto también es válido para casi todos los jardines secos de la época Genroku (1688–1703). Si en el *Ryoan-ji* y en el *Shinju-an* se colocaron rocas aisladas o en

grupo que estaban armonizadas entre sí, en el *Nanzen-ji* hay tan sólo unas pocas rocas. La mayor parte de la superficie del jardín está vacía por completo, cubierta únicamente por una capa de arena blanca rastrillada con delicadeza, a excepción de un rincón del jardín con algunas rocas y plantas cuya existencia se debe más a su forma peculiar que al deseo de incluirlas en una composición general abstracta. Aquí se aprecia una tendencia a substituir el tratamiento abstracto y simbólico de los elementos del jardín por un tratamiento más bien naturalista. Estos jardines ya no sirven para la contemplación, sino para la «exhibición».

Shakkei: el paisaje «prestado» en los jardines con lago y los jardines de paisaje seco de la época Edo

Tanto los jardines con lago como los jardines de paisaje seco de la época Edo, adquirieron una nueva dimensión a través de la técnica del *shakkei*. Esta técnica consiste en incorporar conscientemente el paisaje del fondo en el proyecto del jardín. Itoh Teiji ha estudiado en su libro «Space and Illusion in the Japanese Garden» la historia del término *shakkei*: el término aparece en los textos chinos sobre jardinería a partir del siglo XVII. Posiblemente se generalizara en Japón a partir del siglo XIX. Pero, según Itoh, desde hacía mucho tiempo ya se dominaba en el Japón la técnica que designaba este término. En el jardín del templo Tenryu-ji, de la época Kamakura, encontramos un famoso ejemplo temprano de esta técnica basada en «tomar prestados» los elementos del paisaje para integrarlos en la composición del jardín. El monte Arashiyama se incorpora a propósito en la composición.

La primitiva palabra japonesa para designar la técnica del *shakkei* era *ikedori*, que significa tanto como «captar en vivo». Este término pone en evidencia que el *shakkei*

El jardín seco del templo Entsu-ji, en Kioto, con
la silueta prestada del monte Hiei.

debe ser algo más que una simple vista del paisaje del fondo. Lo que se «captaba en vivo» con una gran habilidad
solían ser elementos del paisaje como montañas, colinas o
llanuras, pero también se podían «captar» elementos crea-
dos por la mano del hombre, como puertas de templos o
pagodas. Los métodos para «enmarcar» un elemento del
paisaje y provocar en el espectador la ilusión de que era
parte del jardín, llevaron a la estructuración del jardín shakkei en cuatro niveles. El primer plano tiene escasa importancia. El segundo nivel suele presentar objetos de arte
colocados hábilmente y que sirven de intermediarios visuales entre el paisaje del fondo y el jardín. El tercer plano es
el fondo del jardín, que crea un marco para el elemento

del paisaje que se pretende «captar». El cuarto nivel, por
último, es el propio paisaje «captado».

Documentaremos el apogeo del shakkei durante la época Edo a través de tres ejemplos. Todos los tipos de jardín
de esta época, a excepción del jardín del té, «tomaron
prestados» elementos del paisaje. Los ejemplos que he
escogido son representativos de estos tipos.

El templo Entsu-ji, en Kioto, cuenta con el jardín shakkei
más famoso de Japón. Se trata de un jardín llano de paisaje seco al este del pabellón principal. Se supone que este
jardín de sólo 660 metros cuadrados fue creado en 1678.
Su superficie rectangular está completamente cubierta de
musgo, donde se han colocado una serie de composiciones de rocas «tumbadas». Un seto de un metro veinte de
altura rodea el jardín por el este, el sur y el norte. La vista
del jardín desde el mirador del pabellón principal incluye la
cumbre del monte Hiei a seis kilómetros y medio de distancia. Está enmarcado –¿o acaso debería decir «captado en
vivo»?– por altos cedros japoneses y cipreses blancos que
se levantan detrás del muro del jardín. Sus ramas, junto
con el seto y un bosquecillo de bambúes, crean un «marco» alrededor del monte Hiei. Originariamente había una
gran roca en el musgo, justo debajo de este «marco», que
hubo de reforzar todavía más la integración del monte en
el marco. ¡Qué impresionante tuvo que haber sido la panorámica con la primera luna de septiembre saliendo detrás del monte Hiei!

El jardín del templo Shoden-ji también «toma prestado»
el monte Hiei y el «marco» correspondiente está formado
por un pequeño bosque cercano. Como el Entsu-ji, este
jardín llano de paisaje seco data también de la época Edo
temprana. Tiene una superficie de sólo 363 metros cuadrados y por el oeste se encuentra justo al lado del hojo, la

casa del sumo sacerdote. Una composición de quince objetos ordenados en grupos de tres, cinco y siete, nos recuerda un poco al *Ryoan-ji*. Aunque aquí no se trata de rocas, sino de matas de azaleas recortadas que –a diferencia de las rocas del *Ryoan-ji*– no aparecen esparcidas por todo el jardín, las matas se han plantado a lo largo del muro encalado.

El jardín con lago del templo Ninna-ji, situado al noroeste de Kioto, data del año 1690. Las copas de los árboles y los arbustos «han captado» en este ejemplo un fragmento de arquitectura: si se contempla el jardín desde el pabellón principal, la pagoda de cinco pisos del templo parece enmarcada por los árboles y los arbustos, como si formara parte de la composición del jardín.

El nuevo prototipo de jardín de la época Edo: el gran jardín de paseo

Principos básicos de la distribución espacial

El gran jardín de paseo no es, en realidad, un nuevo prototipo en el sentido que le hemos dado a la palabra hasta ahora. No obstante, presenta un tipo tan peculiar, que todavía podemos aplicar el término prototipo. Lo que le convierte en algo único no sólo es su tamaño, sino también el hecho de que reúne elementos de casi todos los prototipos precedentes y los integra mediante un principio completamente nuevo de la distribución espacial: elementos de los grandes jardines con lago de la época Heian, como los lagos, las islas, los montes artificiales, los arroyos y las cascadas; elementos de los jardines de paseo de tamaño mediano de las épocas Kamakura y Muromachi, por ejemplo las veredas alrededor de los lagos y en las colinas; los principios estéticos de los jardines de la época Muromachi proyectados en función de un espectador que contempla el jardín desde los edificios del templo o el palacio; y, por último, elementos del pequeño jardín del té de la época Momoyama.

Los jardines de paseo de la época Edo son jardines secularizados. En ellos no hay templos budistas, pero sí casas del té y pequeños relicarios sintoístas, aunque más por motivos decorativos que religiosos.

La organización de estos jardines se puede explicar en base a su función: eran jardines palaciegos de los daimio, los príncipes territoriales que estaban obligados a pasar medio año en Edo. A principios de la época Meiji, con la decadencia del sistema feudal, se transformó la mayoría de estos jardines en parques públicos, y como tales existen todavía en la actualidad.

Jardín seco del templo Shoden-ji, en Kioto, que
incorpora el monte Hiei dentro de la composición.

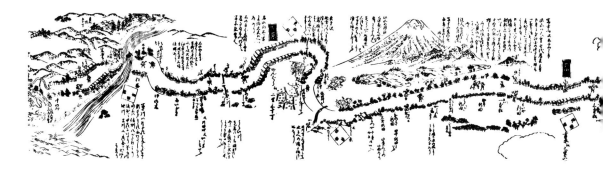

Reproducción de una guía de turismo del siglo XVIII que debía informar al viajero sobre las bellezas al borde del camino de la Tokaido, la ruta que comunicaba Tokio con Kioto. El grabado muestra el monte Fuji en dos vistas naturales a lo largo del Tokaido.

Todos se organizan según el mismo principio: un sendero alrededor del jardín que aparece ante el espectador como una especie de cadena en la que se van engarzando una serie de paisajes diferentes y reproducciones de famosas bellezas naturales. Lo importante es que esta serie de vistas escénicas no se ordena de forma jerárquica, es decir, que no conduce hasta un punto culminante.

El principio del recorrido a través de un escenario estructurado recuerda sobre todo a los trayectos en círculo de las peregrinaciones que se trazaron a partir del siglo XII. La más antigua enlazaba los 33 templos Kannon en Kioto y sus alrededores con los 88 templos Kannon de la isla Shikoku. (Kannon o Kwannon es el dios budista de la misericordia, que en China y Japón suele adoptar la figura de una mujer. Da cobijo a los creyentes, los inocentes que son perseguidos y los náufragos, y otorga una descendencia numerosa. Se la representa en múltiples variaciones, a veces con tres caras y mil brazos. Nota del traductor). Esta senda respondía originariamente a la idea de que el peregrino, a lo largo de un viaje semejante, podía prepararse para alcanzar el paraíso budista. Pero durante la época Edo, cuando esta modalidad de peregrinación experimentó una aceptación desconocida hasta entonces, el trasfondo religioso casi se había olvidado y la peregrinación degeneró en una atracción turística que permitía a los «peregrinos» escapar por un par de días a las numerosas obligaciones sociales en casa.[78]

Lo que aunaba estas peregrinaciones en una unidad no era el camino hacia una meta concreta que, por tanto, partiría de la existencia de una jerarquía entre los distintos lugares y templos visitados. El punto de salida y la meta no tienen ninguna importancia en estas peregrinaciones, sino que el viaje se basa mas bien en un sistema de números

mágicos, como por ejemplo el 33, el 88 ó el 100. No se trata de que el peregrino alcance una meta determinada, sino de que visite un número concreto de templos al borde del camino que mantienen todos el mismo rango. Manfred Speidel resume este sistema de la forma siguiente: «Al combinar la idea de los números mágicos con la de los templos consagrados a dioses del mismo rango y repartidos uniformemente por todo el país... la consecuencia lógica fue que éstos se vincularon a un sistema abstracto de lugares sagrados de igual categoría. Este sistema funciona casi como un marco: es transferible para organizar del mismo modo otras situaciones».[79]

Puesto que no se pretendía alcanzar un lugar sagrado concreto, sino visitar un cierto número de lugares sagrados a lo largo del camino, era posible proyectar estas peregrinaciones como se quisiera, ya fueran largas o cortas. Hasta se podía trazar una ruta en el propio jardín, sin que la peregrinación perdiera nada de su significado religioso. Las campanadas de un templo cuya campana tenía las imágenes de los 33 templos Kannon, prometía tanta felicidad como una penosa peregrinación durante tres semanas que podía extenderse fácilmente a lo largo de cientos de kilómetros. Speidel menciona además que hacia 1782 se había construido en Edo un jardín de paseo que reproducía a escala la famosa peregrinación por los 33 templos Kannon en torno a Kioto. El jardín adopta aquí la función de una ruta de peregrinación y, posiblemente, sea un último intento de volver a animar la jardinería secularizada con un sentido religioso.

La organización espacial de los grandes jardines de paseo tiene un interesante equivalente en la estructura de un popular juego de mesa de la época Edo, el *Meisho sugoroku*, el «juego de los monumentos famosos». El table-

ro está dividido en casillas, cada una de las cuales cuenta con una imagen de uno de los monumentos famosos de Edo. Las casillas se coordinaban entre sí con cuadrículas, espirales y círculos, y los jugadores movían pequeñas figuras de una casilla a otra dependiendo del número de puntos que indicaran los dados. Por lo tanto, el juego era un viaje imaginario por Edo, o dicho de otra manera, se recorría la ciudad estructuralmente como una serie de monumentos independientes, lo que también se puede aplicar al jardín de paseo.[80]

En este sentido también resulta interesante anotar que el *Edo meisho-zue*, una obra en 20 volúmenes publicada entre 1834 y 1836, cataloga e ilustra unos mil monumentos famosos de Edo y sus alrededores, pero no incluye ninguna vista de conjunto de la ciudad: la imagen de la ciudad se reproduce en una secuencia de objetos autónomos separados espacialmente. El gran número de monumentos presentados se explica por el patriotismo local de los habitantes de Edo que se despertó en el siglo XIX.

La idea de representar *meisho*, o sea «monumentos», en los jardines y grabados no es un invento de la época Edo. Cuando analizamos el *jamato-e*, el estilo pictórico propiamente japonés de la época Heian, ya citamos la costumbre del pintor de reproducir lugares famosos. Cuando presentamos el *Sakutei-ki*, el clásico manual de jardinería, ya hablamos también de que los jardines de la época Heian solían imitar famosas bellezas naturales. Sin embargo, el cambio esencial que se produce en la época Edo es la concepción del espacio. El espacio deja de ser algo continuo que, a modo de recipiente, contiene o rodea objetos más o menos artísticos; ahora se entenderá como una relación entre los distintos lugares. El «espacio» del jardín ya no «contiene» este o aquel objeto, simbólico o no, sino

que es una serie de imágenes y escenas. Acabamos de ver que la secuencia se ha convertido en el fundamental principio estructural del espacio también en otros niveles: en las rutas de peregrinos y turistas por la ciudad o el campo, o como en el anterior juego de dados. A partir de esta nueva concepción espacial surgió también un nuevo género literario, los *meisho-zue*, «Compendios de monumentos famosos», predecesores de las actuales guías turísticas. En ellos el espacio se concibe y representa como una experiencia modelada por los procesos culturales de aprendizaje, condicionada por asociaciones aprendidas y estructurada por el tiempo y el movimiento.[81]

En los jardines de paseo de la época Edo, las representaciones de monumentos famosos suelen tener un carácter icónico o realista. Es decir, los detalles y las estructuras características se parecen a los monumentos reproducidos, el objeto representado se reconoce de inmediato. En eso difieren de las representaciones de carácter simbólico, cuya relación con el objeto es esencialmente convencional; por tanto no es necesariamente evidente a partir de la «representación» en sí: si no sabemos que esta o aquella figura reproduce el monte Horai, no podemos llegar al objeto representado a partir de la forma; el símbolo y el objeto no se parecen y la relación sólo se puede establecer cuando se conoce la convención establecida. La representación más bien icónica de las cosas se llama en japonés *shukkei*, que se podría traducir con la frase «reproducción a pequeña escala de un objeto existente en la realidad». Un ejemplo muy famoso del *shukkei*, es la minitarua del monte Fuji en el parque Suizen-ji, en Kumamoto. Otras representaciones de monumentos famosos entrañan el carácter de un «índice», es decir, presentan una sola referencia real con relación al objeto que representan, pero en ningún caso

Paisaje ondulado visto desde el cenador del té del Joju-en. En primer término, la pila de agua con la forma de la manga de un kimono.

*Monte artificial y sawatari-ishi, grandes piedras
para atravesar un arroyo sinuoso en el parque
Koraku-en, de Okayama.*

son réplicas del mismo. Un famoso ejemplo es el dique del
«lago occidental de Hangzhou», en el parque Koraku-en
de Tokio. Aunque podemos ver un pequeño dique, aquí
termina la similitud con el «original». En los jardines de la
época Edo también se encuentran representaciones simbólicas de objetos, o sea, aquellas que no tienen ninguna
referencia entre el símbolo y el objeto en sí. Según Max
Bense, «símbolo significa sustitución». El símbolo sustituye
al objeto que representa, pero no lo reproduce. Entre las
representaciones simbólicas de los jardines de la época
Edo se encuentran muchos símbolos del Yin y el Yang,
composiciones de rocas que representan simbólicamente
el principio dual masculino-femenino, así como representaciones de lugares míticos o de ficción que no existen en
la realidad, sino en el mundo del mito o la fantasía.

Si recorremos hoy los grandes jardines de la época Edo,
nos invade la sensación de que constituyen una unidad
estética. Pero no deberíamos pensar que se han realizado
siguiendo un gran proyecto único. Muy al contrario, por
lo general, en cada jardín trabajaron varias generaciones
de artistas en una especie de «proceso de planificación»:
dado que no existía un proyecto general, un plano fijo,
cada generación fue incorporando sus propias ideas en el
complejo del jardín, que fue creciendo de una forma un
tanto orgánica, sin que la armonía se viera perturbada.

Detalles en el jardín de paseo de la época Edo

Las colinas

Llama la atención que las colinas artificiales gocen de especial aceptación en los jardines de la época Edo: no sólo
aumentan de número sino que, progresivamente, aumen-
tarán de tamaño. Esto se ha intentado explicar a partir de
la actitud de los daimio, que fueron aficionándose a los
paisajes montañosos que recorrían en los numerosos viajes
entre sus territorios y la capital. De ahí que mandaran levantar paisajes montañosos en sus jardines. Estaban muy
de moda las colinas cónicas que tienen gran parecido con

Piedras utilizadas como cimientos de los pilares
del pabellón Kikugetsu-tei en el parque
Ritsurin, en Takamatsu.

Grupo de rocas en una ladera escarpada del
jardín con lago del templo Chishaku-in de Kioto.

el monte Fuji. Normalmente se puede subir a estas colinas y contemplar desde la cumbre la vista del jardín. Esta es una diferencia con respecto a las colinas artificiales de las épocas anteriores, que no estaban proyectadas para que el espectador subiera a ellas, sino para ser contempladas. La mayoría de las colinas son redondeadas y apacibles, nunca dramáticas o misteriosas, y aparecen cubiertas de hierba.

El agua

Los lagos artificiales también gozaban de gran aceptación. Al igual que los montes, irradian una sensación de alegría y animación; han desaparecido por completo los imponentes refuerzos de las orillas a base de rocas amontonadas, que ya conocemos de la época Momoyama. A lo sumo aparece en su lugar un anillo de rocas como si fuera un collar de perlas alrededor de los lagos. Éstos no son muy profundos y los contornos de la orilla se funden suavemente con el entorno. También es inútil buscar junto a la orilla las amplias superficies cubiertas de arena o rocas. El parque Sento-Gosho, al lado del palacio imperial de Kioto, presenta una de las últimas grandes superficies a la orilla del lago. Los anchos y sinuosos arroyos del jardín –ya sean auténticos o secos–, así como las *sawatari-ishi*, son una prueba del arte de sus autores. Las *sawatari-ishi*, «piedras para pasar a través del terreno pantanoso», son piedras de gran tamaño colocadas para atravesar los ríos. Las cascadas de estos jardines son muy naturalistas y sólo llevan un poco de agua.

Las islas

La disposición de las islas también resulta menos dramática que en tiempos pasados. Ya no aparecen repletas de composiciones pétreas. En el parque Ritsurin, en Takamatsu,

sólo dos de las doce islas presentan grupos de rocas. Aquí encontramos las más hermosas de las islas pétreas, que ahora se han vuelto escasas. Apenas aparecen islas de las tortugas y de las grullas, y en pocos casos las rocas de la cabeza y la cola tienen una cierta expresividad. A veces ocurre que estas venerables manifestaciones estéticas del jardín japonés se reducen todavía más: la isla de las grullas y la de las tortugas suelen aparecer juntas; en la época Edo a menudo sólo encontramos una de ellas. En el parque Joju-en, en Kumamoto, hay unas hermosísimas *sawatobi-ishi*, «piedras para pasar por el terreno pantanoso»; se trata de rocas de un gran tamaño colocadas entre las islas o a lo largo de una orilla del lago y que sólo sirven como decoración. Por tanto no se debería «pasar» por ellas.

Composiciones pétreas

Tal como ya hemos señalado, en los jardines de la época Edo disminuye el número de las mismas. Los principios formales de estas configuraciones también parecen ser menos rígidos. A veces aparece un grupo de tres rocas sobre la cumbre de una colina o una composición en la orilla de un lago como símbolo del mítico monte Horai. Cuando se colocan piedras a modo de *tobi-ishi*, se trata, casi sin excepción, de rocas especialmente grandes que desmienten su procedencia del pequeño y modesto jardín del té. En la época Edo se puso de moda colocar piedras del Yin y el Yang en puntos destacados; debían representar la pareja de los principios masculino y femenino. Puede que estas composiciones fueran el equivalente en la jardinería a la frivolidad erótica de los *ukiyo-e*, los «cuadros del mundo suspendido».

Aspecto del jardín en torno al «Templo del renacimiento en el paraíso» en el templo Sanzen-in
de Ohara, Kioto.

Grupo naturalista de rocas en un shiraito-taki,
una «cascada de hilos blancos» en el parque
Koraku-en de Tokio. A principios de la época Edo.

Ejemplo de las formas caprichosas de los puen-
tes: puente del parque Ritsurin.

194

Las plantas

Mientras que en la época Edo disminuyó visiblemente el significado de las composiciones pétreas, es evidente que las plantas ganaron importancia. En el parque Ritsurin encontramos árboles recortados en forma de caja. Esta técnica se llama *hako-zukuri*, literalmente «hacer cajas». El *hako-zukuri* surgió en la época Edo. En general se tenía mucho aprecio a los árboles: los viejos abetos y los pequeños bosques pasaron a formar parte del paisaje de los jardines e incluso se plantaron jardines de cerezos y ciruelos en los parques. Un elemento nuevo en el jardín de la época Edo es también el pequeño campo de arroz. Podríamos llegar a pensar en el renacimiento de un antiguo arquetipo de la jardinería japonesa, el *shinden*, el arquetipo del «campo de arroz sagrado». Pero, ante la tentación de emplear semejantes referencias, no deberíamos olvidar que el motivo lógico para la integración de los campos de arroz en los jardines de la época Edo, se debe buscar más bien en la idealización de la vida en el campo que se puso de moda en esta época. La imagen de los campesinos en los campos de arroz se consideraba hermosa y romántica.

Los senderos y los puentes

Sólo la mitad del paseo por el jardín conduce al visitante a la orilla del lago. El resto del recorrido lo lleva a través de pequeños bosques o colinas artificiales. Los numerosos puentes que se atraviesan, paseando por el jardín, pertenecen al estilo del gran jardín de paseo de la época Edo. Generalmente suelen ser bastante mayores que los de la época Momoyama y –junto con los pabellones– ponen el contrapunto artístico a la forma natural del jardín que ha

sido modelado artificialmente. Esta tendencia se puede rastrear ya desde la época Momoyama.

Los cenadores del té

Cuando los cenadores del té mantienen el estilo *so-an*, el estilo de la cabaña rural, suelen encontrarse un poco al margen en un pequeño jardín rústico. Si por el contrario mantienen el estilo del *shoin*, aparecen casi siempre a la orilla del lago o del arroyo y ofrecen al espectador una panorámica del jardín como a través de un marco. El *kikuge-tsu-tei*, por ejemplo, se adentra en el lago apoyándose en pilares; sus constructores colocaron algunas piedras de una belleza extraordinaria como fundamento de los soportes.

Shigemori Mirei ha calificado tanto los detalles como el conjunto del gran jardín de paseo de la época Edo, de femeninos y sin dramatismo. El espíritu que demuestran

El Ryu-ten, «Casa del té junto al arroyo», en el
parque Koraku-en de Okayama, es un ejemplo
clásico de la estética basada en la unión mística
del ángulo recto y la forma natural. Se construyó, según el estilo de la época Heian, como
estancia para celebrar la «Fiesta a orillas del
arroyo sinuoso».

El arroyo y las piedras para pasar del Hikaku-tei,
el «jardín hacia la grulla que vuela», describen un
quiebro en la cabaña del té Seiko-ken. La vista
del jardín desde el interior de la cabaña está
enmarcada, horizontal y verticalmente, por la
estructura ortogonal del edificio.
Fotografía: Minao Tabata

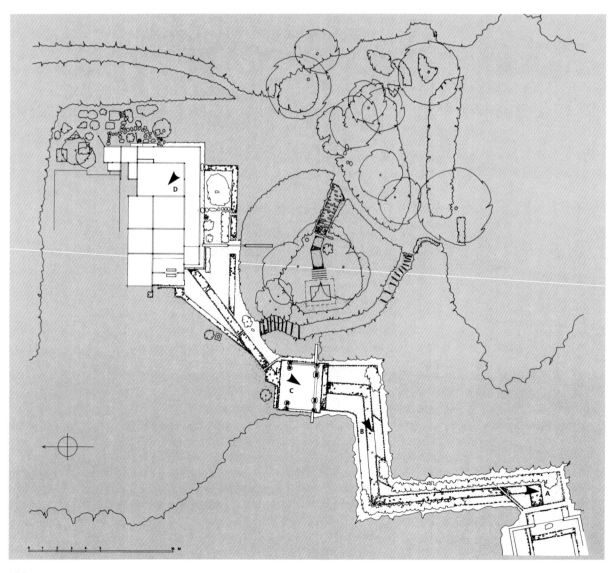

Plano de situación del Jiko-in y la refinada organización del acceso (tomado de un dibujo simplificado de M. Shigemori y K.: Taikei, vol. 15, 1972).

Jiko-in, el «Templo de la luz suave», en Yamato Koriyama: el fresco y oscuro «túnel» de la entrada (ver A en el plano).

contrasta fuertemente con el jardín «masculino» y «dramático» de la época Momoyama. Dos siglos y medio de paz han dejado sus huellas en la estética del jardín japonés.

Los jardines retirados de los antiguos samurai que se dieron a conocer como sabios, sacerdotes o maestros del té

Los jardines eremíticos de los samurai se asemejan a los grandes parques de los daimio en el sentido de que también combinan en una unidad una serie de elementos de la jardinería tradicional japonesa. Al igual que los parques de los daimio, encontramos elementos del jardín de paseo, del jardín del té, del jardín de paisaje seco y del jardín shakkei. Aunque se sobrentiende que los jardines de los samurai son mucho más pequeños que los grandes jardines de paseo de los daimio. En dos de los jardines más importantes de este tipo, el *Shisen-do,* en Kioto, y el *Jiko-in,* en Yamato Koriyama, incluso parece como si en la entrada se hubiera desperdiciado el espacio ya reducido de por sí. Sin embargo, no se debe olvidar que precisamente las entradas nos descubren vistas de una extraordinaria belleza en el camino hacia el jardín de la paz y la meditación. A continuación quiero presentar detalladamente estos dos jardines; pero primero unas cuantas líneas sobre sus creadores. El autor del *Shisen-do* se llamaba Ishikawa Jozan. Mandó construir esta especie de ermita tras abandonar sus servicios como samurai para dedicarse por completo a la poesía. El autor del *Jiko-in* se llamaba Katagiri Sekishu. Procedía de la clase de los señores feudales y también quería retirarse de la vida pública cuando mandó construir el *Jiko-in.*

El Japón es un pequeño país densamente poblado, lo que se refleja también en los principios estéticos de su jardinería. Si se compara la estética japonesa por ejemplo con la de América, un país extenso y relativamente poco poblado, podríamos decir que en el último domina el principio «el tiempo es oro», mientras que en el segundo sería más apropiado «el espacio es oro». Tanto el *Shisen-do* como el *Jiko-in* reproducen ejemplarmente una estética en la que lo fundamental es el espacio, lograr que el espectador tenga la ilusión de un espacio amplio.

Comentaré doce técnicas empleadas en estos dos jardines para manipular nuestra percepción visual y táctil del espacio. Llamo a la primera técnica la «experiencia de la ratonera». Un buen ejemplo de ella es la puerta de entra-

199

da del *Jiko-in*: primero se llega al *Jiko-in* a través de una
extensa superficie de campos y después hay que atravesar
una puerta bastante pequeña para alcanzar el jardín. En
mi opinión, así se consigue que, después de lo apretado
de la entrada, el espacio resulte bastante más grande de lo
que es en realidad.

Llamo a la segunda técnica la «experiencia del túnel».
Un ejemplo lo encontramos justamente detrás de la puerta de entrada al *Jiko-in*: caminando desde la puerta hacia
el interior del jardín, hay que seguir un estrecho sendero
bordeado por tupidos arbustos. El sendero es oscuro, fresco y húmedo, y se encuentra entre sesenta y noventa cen-

tímetros por debajo del resto del jardín; parece como si
estuviéramos caminando por un túnel. El final del túnel no
es visible. Como apenas se puede ver nada, aceleramos el
paso casi de una forma automática. El efecto psicológico
reside en que se tiene la sensación de haber recorrido un
camino más largo.

Llamo a la tercera técnica para crear la ilusión de amplitud espacial la «experiencia del zigzag»: siguiendo el sendero oscuro a modo de túnel, hay que hacer dos curvas en
zigzag. Este rodeo contribuye a acentuar la ilusión de que
el principio y el final del túnel están muy alejados entre sí.

Tras la segunda curva en zigzag nos encontramos de
pronto en medio de un espacio un poco más grande y
luminoso que permite contemplar un puerta del palacio de
dos pisos. Denomino esta cuarta técnica de ilusión espacial
«experiencia de la interrupción del movimiento». Parte de
la base de que antes se ha recorrido un largo camino.

La quinta técnica se reconoce en la puerta siguiente.
La experiencia es similar a la del juego del «parchís»: de
repente nos encontramos de vuelta en el principio. Esta
segunda puerta señaliza desde el punto de vista psicológico que hay que volver a empezar por el principio.

La sexta técnica se llama «experiencia del contraste».
Una vez que se atraviesa la puerta final del túnel largo y
sombrío, nos vemos de pronto en un lugar abierto y luminoso; desde allí descubrimos por primera vez la imagen
de la meta, el *Jiko-in*, o mejor dicho, se puede ver el hastial
doble de la mitad superior del tejado cubierto de paja.
Aquí es donde se hace uso de la séptima técnica: en este
punto del trayecto vacilamos en continuar, tres caminos se
abren ante nosotros y no sabemos a ciencia cierta cuál de
ellos se debe tomar. Llamo a esta experiencia la «técnica
basada en el retraso consciente de la marcha».

Cuando por fin se entra en el *Jiko-in*, uno se ve abandonado a la «experiencia de la cueva»: el vestíbulo que da acceso al *Jiko-in* se llama *genkan* y se traduce literalmente como «barrera oscura». Se trata de un espacio oscuro donde resulta difícil orientarse. La esperanza de haber llegado por fin a la meta del viaje se ve frustrada por última vez.

Para acceder al *shoin* del *Jiko-in* hay que someterse a un ritual muy difundido en Japón, que ilustra las técnicas novena y décima: el camino nos conduce primero dos escalones hacia arriba, provocando una «experiencia de estar suspendido» que también enriquece y aumenta la percepción espacial. Además hay que quitarse los zapatos y andar descalzo sobre los tatami. La aspereza de las esterillas bajo las plantas de los pies enriquece también la percepción del espacio.

Una vez que hemos llegado a la meta y estamos sentados en la sala de los invitados del *Jiko-in*, nos espera la «experiencia shakkei», la undécima técnica de la ilusión espacial: miramos hacia un jardín de paisaje seco con arbustos de azaleas recortados con la forma de montañas. Detrás se eleva una cadena montañosa con ocho cumbres; esta cadena montañosa se encuentra, en realidad, a algunos kilómetros de distancia, en el extremo oriental de los depósitos de agua de Yamamoto, pero ha sido integrada en la composición del jardín de un modo muy efectivo. La vista de la escena está enmarcada por el mirador y el borde sobresaliente del tejado.

El *Shisen-do*, en Kioto, emplea además una técnica adicional. En este caso la ilusión espacial se ve reforzada por los elementos acústicos: una vez que ya estamos sentados en el *shoin* del *Shisen-do*, escuchamos continuamente el murmullo sordo de una cascada acentuado por los golpes de una *shishiodoshi*, un instrumento para espantar a los re-nos. Los golpes rítmicos de las cañas de bambú que chocan contra una piedra, salpicando agua al mismo tiempo, nos traen a la mente la frase zen «La auténtica calma no es la calma en la quietud, sino el sosiego en el movimiento».

Vacilo en incluir la última técnica dentro de la serie descrita hasta ahora, ya que cuenta con una cualidad completamente distinta: se trata de una técnica esotérica. Esta técnica también se puede ilustrar tomando como ejemplo el *Jiko-in*, cuyo autor, Sekishu, no sólo fue un arquitecto y jardinero magistral, sino también un místico: en el *shoin* del *Jiko-in* nos invade la sensación de estar suspendidos en el espacio, y podemos deslizar la mirada por el paisaje a millas de distancia, nos quedamos quietos y enmudecemos. Esta sensación parece apoderarse de todo aquel que visita el *Jiko-in*. Uno comienza a meditar, a experimentar la inmensidad de su propio interior. Dejamos de centrar nuestra atención en el mundo exterior y, con el final de la percepción de lo externo, la serenidad nos invade. Así es como empezamos a tener conciencia de la percepción misma, pero esta percepción está vacía y provoca una última ampliación del espacio. Sólo un lugar capaz de aportar una experiencia semejante, o mejor dicho la «experiencia de la no experiencia», se puede llamar templo, porque nos da una idea de lo que somos en realidad.

Todas estas técnicas le deben mucho al rito del recorrido creado por Sen no Rikyu en el rústico jardín del té. Pero de forma inversa, también son un desarrollo innovador de la tradición de Rikyu, ya que perfecciona los elementos de otros jardines. Katagiri Sekishu, el creador del *Jiko-in*, fue el sucesor de Kobori Enshu como «sumo sacerdote» del té. Las estancias del té de su *shoin* demuestran también su elevado nivel artístico.

El paisaje naturalista del gran jardín de paseo de
la época Edo: el lago meridional del parque
Ritsurin con el puente convexo de madera en
primer término.

Composición de rocas en «Islas de las jóvenes
divinas», en el lago meridional del parque
Ritsurin.

La relación de la época Edo con la naturaleza y el arte de la jardinería

La influencia de la estética de la época Edo en el arte de la jardinería

Ya comenté al principio que los pequeños jardines con lago y los jardines de paisaje seco también se continuaron realizando durante la época Edo como repeticiones estereotipadas de un arquetipo anterior. Generalmente se encuentran en templos budistas, aunque tanto el conjunto como la plantas y las composiciones pétreas perdieron dramatismo y fuerza expresiva. Parecen productos fabricados en serie, carentes de poesía, profundidad y belleza, porque la esencia de la belleza no reside sino en el acto de traspasar los límites de lo convencional. Sin embargo, en estos jardines se imita el estilo de épocas pasadas, pero no la naturaleza –su aspecto externo, su esencia interna o sus leyes internas.

Los grandes jardines de paseo de los daimio incorporan numerosos elementos de los antiguos prototipos y los combinan en una nueva fórmula creando una senda a lo largo de la cual se alinean, de una forma que al visitante le parece infinita, «hermosas vistas» como si fueran las perlas de un collar. Esta nueva fórmula tiene el poder de otorgar un nuevo significado a los elementos conocidos de estos jardines.

El jardín de paseo es un jardín profano cuyo aspecto externo resulta cada vez más realista y naturalista. Aunque se debería hacer la excepción de los grupos de rocas más bien grotescos que representan el Yin y el Yang, así como la fastuosidad de los daimio. De hecho hemos de reconocer que el acto de fraccionar una roca enorme en noventa piedras pequeñas y transportarlas a un parque para volver a recomponerlas en una gran roca, es más bien un acto de osadía o una demostración de poder (una composición pétrea del parque Koraku-en, en Okayama, se realizó realmente de este modo). A causa de esta predilección por los paisajes naturales espectaculares, la arquitectura retrocede a un segundo término. En la actualidad existen todavía unos pocos edificios que originariamente se levantaban en los parques de la época Edo, pero ya en aquellos tiempos tuvieron que ser elementos secundarios. Por lo menos habían perdido la prominencia que tuvieron en los jardines de las épocas pasadas. El amor por los jardines espectaculares y naturalistas se puede reconocer además en otro fenómeno: los grandes riachuelos de los jardines que enlazan los lagos, se convierten en los elementos centrales del paisaje del jardín. Los bosques de abetos y los jardines de ciruelos y cerezos, que aumentan de tamaño y pasan a convertirse en jardines secundarios autónomos, contribuyen a confinar la arquitectura a un segundo plano.

La estética de mediados y finales de la época Edo está determinada por el gusto de la clase ascendente de los comerciantes urbanos. Con objeto de ilustrar la nueva estética de una cultura urbana de masas, a continuación quisiera explicar brevemente algunos términos característicos de la época Edo: *iki* –esta palabra indica una elegancia de moda y tiene un matiz erótico; *share* –una sensibilidad para captar la ironía y el refinamiento de la ciudad; *shibumi* –alude a un gusto escogido; *tsu* –indica estar informado y ser un profesional; *asobi* –sensibilidad para la desenfadada creatividad en el arte y la profesión.

Bajo este espíritu, la naturaleza deja de ser un lugar con un mensaje divino, cósmico o mítico que se puede descubrir en ella misma y reproducir en los jardines. El jardín ya

Shin-Gyo-So: el primer grabado representa una colina al estilo Shin, un estilo muy formal, la imagen central ilustra las colinas al estilo Gyo y la inferior al estilo So. Esta diferenciación, que tiene su origen en la caligrafia japonesa sino, fue introducida por Akisato Ritoken en el segundo volumen del Tsukiyama teizo-den del año 1828.

no es el instrumento que expresa los misterios y secretos de la naturaleza, sino un escenario donde se exponen los últimos accesorios de moda con maestría artística y refinamiento. El gran jardín de paseo de la época Edo, con sus innumerables panorámicas de gran belleza, es casi como un catálogo de moda sobre la jardinería. Baste con recordar las amaneradas formas de los puentes o los «recortes» de los arbustos en los jardines.

Las tradiciones secretas de la jardinería y los nuevos manuales ilustrados sobre la construcción de jardines

El *Shisen-do*, en Kioto, y el *Jiko-in*, en Yamamoto Koriyama, presentan una enorme similitud con la pintura china Bunjin, que presuponía tener amplios conocimientos. Lo mismo se puede descubrir en un manual secreto de la jardinería publicado en 1680 por Hishikawa Moronobu, xilógrafo y literato, con el título *Yokei tsukuri niwa no zu*, que se traduce como «Manual ilustrado del arte de la jardinería. Instrucciones para crear vistas peculiares». Este libro presenta dieciocho sugerencias para la creación de una atmósfera especial en los jardines. Las sugerencias están ilustradas con dieciocho grabados a doble página que nos proporcionan una buena imagen del refinadísimo dibujo de fines del siglo XVII. Las instrucciones de las distintas ilustraciones detallan los elementos del jardín necesarios para conseguir la atmósfera deseada –en la mayoría de los casos bellezas naturales de China o Japón– y se encuentran claramente dentro de la tradición de las doctrinas secretas japonesas sobre la construcción de jardines.

A partir de medidados de la época Edo, los jardines dejaron de ser privilegio exclusivo de los daimio y los samurai.

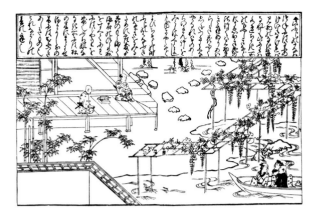

Los chonin, adinerados comerciantes urbanos, también podían permitirse el lujo de tener un jardín. Así fue como aumentó la demanda de jardineros experimentados que comenzaron a ofrecer sus servicios no sólo en la capital, Edo, sino por todo el país. A menudo solían recalcar que conocían el valioso *kuden*, la ciencia del arte de la jardinería transmitida oralmente. Este nuevo tipo de profesional de la jardinería se llamaba *niwa-shi*, que literalmente significa «maestro jardinero». Los *niwa-shi* no sólo construían los jardines, sino que además vendían a los propietarios los elementos decorativos necesarios para sus jardines: plantas, piedras y objetos artísticos como las linternas de piedra. Sin embargo, la demanda de *niwa-shi* era tan grande que no se podía cubrir. Esto explica la creciente popularidad de los manuales de jardinería como el *Yokei tsukuri niwa no zu* de Hishikawa Moronobu. La nueva técnica de la xilografía abarató estos libros y contribuyó a su amplia propagación.

A pesar de todo, los libros también tuvieron un efecto menos positivo: destruyeron el espíritu innovativo y el placer de experimentar en el arte de la jardinería, ya que encasillaban cada elemento del jardín en una categoría fija, una especie de prescripción, y muchos jardineros se atuvieron rigurosamente a ellos. El manual más popular de la época Edo es, posiblemente, el *Tsukiyama teizo-den* de Kitamura Enkin, un «Manual relativo a la creación de montes y el trazado de jardines» del año 1735. Este libro propone consejos muy concretos sobre como proyectar un jardín y presenta al interesado determinados modelos históricos como el «Pabellón dorado» o el *Daisen-in*. Akisato Ritoken publicó en 1828, bajo el mismo título, un segundo volumen del *Tsukiyama teizo-den*. A partir de entonces, los dos volúmenes se vendieron como una obra completa. Lo

cual demuestra hasta qué punto tuvieron un efecto negativo para la creatividad: en estos libros se explican «patrones», jardines estándar. Aunque tenían ilustraciones magníficas, eran enemigos de la creatividad. Reflejan menos el espíritu del *niwa-shi*, el jardinero profesional, que el espíritu del *ueki-ya*, el comercio del jardín en esta época.

La presentación simplificada de la jardinería y la tendencia a proporcionar un «patrón» como si fuera «arte», se aprecia muy claramente en la diferencia que establece Akisato entre un jardín de tipo llano y uno accidentado. Estos dos tipos se dividen a su vez en tres categorías que tenían su origen en el arte de la caligrafía y que, desde la época Muromachi, se aplicaban en otros campos del arte: *shin* designa la manifestación artística más sublime y formalmente pura; *gyo*, un arte semiformal y no tan puro, y *so* una variación informal y simplificada de este arte. Los dos tipos básicos de jardín, llano o accidentado, se describen por tanto como si existieran en tres variaciones, *shin*, *gyo* y *so* –formalmente puro, semiformal y simplificado–. No sabemos a ciencia cierta si esta descripción simple del jardín había surgido de una práctica precedente en la jardinería, que quizá ya existiera antes de la época Edo, o si en realidad se trata de una descripción simplificada surgida a raíz de las presiones que establecía el manual de jardinería.

El cantero y la piedra trabajada
El jardín como fruto de la imaginación

Los jardines de la época Meiji muestran, en principio, los estereotipos tradicionales del jardín con lago, el jardín de paisaje seco y el jardín del té de la época Edo. El nuevo prototipo, que surgió a comienzos del siglo XX y que ha mantenido su influencia hasta el mundo actual, está dominado por la piedra natural desbastada. Más tarde aparecerán incluso los materiales sintéticos. Este prototipo ya no reproduce los paisajes que se encuentran en la naturaleza, sino que más bien se concibe como una proyección «egocéntrica»: el jardín como fruto de la fantasía.

A partir de la II Guerra Mundial, el jardín se ha convertido en parte de la arquitectura de edificios administrativos, pabellones de cultura, museos, edificios de oficinas y plazas públicas. Los nuevos autores son ahora profesionales conscientes de su valía, escultores, arquitectos o paisajistas con una formación universitaria. El nuevo jardín, desarrollado a partir de la época Meiji, es una expresión del espíritu de la época moderna que ha separado al hombre de la naturaleza. En él se descubre la voluntad humana de manipular y dominar la naturaleza.

Página precedente:
*La piedra desbastada toscamente se convertirá
en el elemento compositivo central del nuevo
prototipo. El jardín público en los edificios gubernamentales de la prefectura de Kagawa en
Takamatsu. El proyecto del año 1958 es obra del
gabinete de arquitectura de Kenzo Tange.*

De la época Meiji a la actualidad

Con la firma del pacto de amistad entre Japón y los Esta-
dos Unidos por el comodoro Matthew Perry en 1854, termina la política de aislamiento de los shogunes Tokugawa
que había durado más de dos siglos. Los americanos obtu-
vieron el permiso para abrir consulados en Japón.

Occidentalización y tradicionalismo

Esta apertura condujo, sorprendentemente, a la caída del
rígido sistema de los Tokugawa, ya que el pacto de amistad no hizo sino caldear los ánimos en Japón. Sobre todo
los jóvenes de la tradicional clase de los samurai hicieron
frente al pacto cuya firma, en su opinión, había demostra-
do la incapacidad de los shogunes para mantener aparta-
dos a los extranjeros. El motivo que unía a los jóvenes re-
beldes era el realismo. En sus consignas propagaban «más
respeto al emperador», «echad a los bárbaros». Los realis-
tas consiguieron llevar a buen término un golpe de Estado
en Kioto en 1866, y a continuación el poder de los shogunes volvió a pasar a manos del emperador. En 1867, el
régimen del shogunado tuvo que capitular sin reservas y
traspasar su poder al emperador Meiji Tenno (1852–1912)
sin derramamiento de sangre.

Pero muy pronto se puso de manifiesto que los nuevos
dirigentes del país, activistas de la clase de los samurai y
cortesanos de Kioto, bajo ningún concepto tenían pensado cerrarse a los nuevos tiempos. Enseguida abandonaron
sus propósitos y abolieron el sistema feudal y el poder territorial de los daimio, terminando así con el rígido sistema
de clases japonés. La clase de los samurai fue totalmente
suprimida y la nueva creación del Estado se basó en el

principio jurídico de la igualdad de todos los ciudadanos.
Hacia 1870 desarrollaron la política del *bummei kaika*, que
tenía como meta la adaptación de Japón a la «civilización
e ilustración» occidentales. La capital Edo recibió el nombre de Tokio, capital de oriente. La residencia oficial del
emperador Tenno se trasladó a Tokio.

La constitución del nuevo Japón de la época Meiji, basada esencialmente en teorías alemanas sobre el Estado,
entró en vigor en 1889, si bien el lenguaje estaba marcado
sobre todo por el tradicionalismo japonés. El emperador
era considerado como la «cabeza» divina del *kokutai*, el
«cuerpo del pueblo». El pueblo, definido como un Estado
confucionista, se comprometía a obedecer y se mantenía
unido por la institución paternal y sagrada del emperador.
La universidad de Tokio se convirtió en una especie de fá-
brica de funcionarios gubernamentales ortodoxos. Esta
idea del Estado no terminó hasta el día de Año Nuevo de
1946, tras la capitulación en la guerra contra los EEUU. El
emperador Tenno revocó expresamente su procedencia
divina y se declaró un ser humano.

Durante la época Meiji, toda la cultura japonesa se inspiró en gran medida en los modelos occidentales. Los arquitectos japoneses, por ejemplo, adoptaron progresivamente
los materiales y estilos occidentales. El gobierno promovió
también esta actitud, ya que de esa forma esperaba poner
remedio al problema constante de los grandes incendios
en las ciudades. En el antiguo Japón se había empleado
sobre todo la madera como material de construcción, elemento casi exclusivo incluso en las casas de dos pisos de
las ciudades. Pero la reorientación de la cultura japonesa
no sólo se produjo en la arquitectura: la literatura también
cobró un impulso fundamental de occidente. Casi todas
las obras importantes en prosa de occidente y una gran

parte de la lírica fueron traducidas al japonés, y los autores japoneses comenzaron a orientar sus propias obras de acuerdo con estos modelos. Algunos estilos pictóricos occidentales ya se habían introducido –aunque en escasa medida– en Japón. A través de los jesuitas en el siglo XVI y los comerciantes holandeses durante el siglo XVII, entraron en el país algunas noticias sobre la pintura occidental. Pero, a partir de la época Meiji, Japón conoció todos los estilos y escuelas de pintura de Europa desde el siglo XVIII.

Este estudio intenso de la cultura y el orden de valores del mundo occidental, puso de manifiesto un problema que H. Paul Varley llamó una vez «el problema permanente del individualismo en el Japón moderno» o, expresado de otra manera, la fascinación «de la psicología del individuo». Es aquí donde chocan el mundo occidental y el mundo japonés, donde todavía se sigue ensalzando oficialmente el respeto a los mayores y la obediencia y lealtad a la sociedad y el emperador, como los valores supremos.[82] El idioma japonés ni siquiera conocía una palabra para designar el «individualismo» o la «esfera privada».

Esta búsqueda de un individualismo de cuño occidental desembocó, sin embargo, en una especie de conformismo, es decir, el conformismo de la cultura de masas que ya no está determinada por los elementos ideales de una ética vital, sino únicamente por las leyes de la mecanización. La mecanización trajo consigo el transporte en masa, la producción en serie, el consumo de masas y los medios de comunicación. A consecuencia del auge económico constante tras la II Guerra Mundial, las grandes empresas han pasado a ser las que deciden casi todo lo que atañe a la relación directa del consumidor con la vida, manipulan la existencia del «individuo» desde la cuna hasta la sepultura.

El jardín de las épocas Meiji, Taisho y Showa

En 1871 se promulgó una ley que declaraba parques públicos un gran número de los jardines religiosos y los jardines daimio de las épocas Momoyama y Edo. Muchos de estos jardines se habían cubierto de maleza y tuvieron que ser restaurados. Pero estos trabajos fueron realizados por artistas que estaban fuertemente influenciados por los modelos europeos; de este modo surgieron en muchas ocasiones extrañas formas híbridas entre los jardines japoneses y europeos –los jardines de paseo de los daimio eran muy propensos a ello ya que, a primera vista, presentan un gran parecido con los jardines europeos–. Otro problema fue que los conocimientos históricos sobre las raíces del jardín japonés se habían perdido casi por completo. Ya nadie visitaba los grandes modelos japoneses, los antiguos jardines de Kioto, y muchos de ellos se perdieron del todo. Los antiguos jardines gozaban de tan poco aprecio que incluso se vendieron sus elementos característicos por sumas irrisorias. Al mismo tiempo, la investigación histórica de estos jardines se había quedado paralizada. Shigemori Mirei examinó en una ocasión ochenta libros de esta época sobre la historia de la jardinería. El resultado fue desconsolador, ninguno de ellos podía considerarse como una exposición histórica seria. Peor todavía: la mayor parte de los libros resultaba infantil. Se trataba sobre todo de manuales baratos para gente que quería construir su propio jardín, o bien de descripciones cortas de los antiguos jardines pero que en general no eran dignas de confianza porque, a juzgar por las apariencias, los autores ni siquiera se habían tomado la molestia de visitar personalmente los jardines.[83]

A primera vista podría parecer que el desarrollo de las universidades japonesas contradice los conocimientos actuales sobre el arte de la jardinería: no en vano se fundaron nada menos que trece facultades de paisajismo en las diversas universidades de todo del país. Pero, si tenemos en cuenta que en estas facultades se incluyó la agronomía, la explotación forestal o la floricultura, entonces sabemos que tampoco allí se puso remedio a la penosa situación. En estas facultades se enseñaba, y se enseñan, fundamentalmente asignaturas que se ocupan de las técnicas tomadas del paisajismo occidental. El jardín tradicional japonés y su historia no aparecía por ningún lado en los programas de estudios.

Para decirlo con claridad: se había dejado de ver la jardinería japonesa como una forma artística autónoma. Bajo la influencia del nuevo clima de «civilización e ilustración» se consideraba obsoleto el precepto del *Sakutei-ki*, «respetar los modelos de los antiguos maestros». Los jardines eran proyectados por los *ueki-ya*, «arboricultores» que no estaban preparados para comprender el arte de la jardinería, sus temas y su contenido simbólico. Los *ueki-ya* no hacían sino cumplir los deseos de los clientes, cuyo monedero era el criterio fundamental a la hora de apreciar un jardín.

El antiguo arte japonés del *ishi wo tateru*, el arte de «erigir piedras», y el *ishi-gumi*, la «composición de piedras», degeneraron en el *sute-ishi*, la «distribución de piedras», la simple disposición de rocas por el jardín según criterios decorativos y naturalistas.

Los jardines de la época Meiji suelen formar parte de una casa privada. Lo que supone un curioso regreso a la función del jardín de la época Heian, que se encontraba casi exclusivamente junto a edificios de vivienda y estaba en relación directa con la vida diaria del hombre –no hace falta apuntar que era privilegio de los aristócratas.

Después de todo, algunos de los numerosos libros publicados en la época Taisho, al comienzo de nuestro siglo, consiguieron despertar el interés por la jardinería tradicional japonesa. En todo el mundo predominaba por aquel entonces la tendencia al naturalismo en todas las artes, lo cual no dejó de surtir efecto en el arte de la jardinería japonesa a partir de la época Meiji. Se esperaba que un jardín fuera una buena copia de la naturaleza –lo que quiere decir «realista»–. Por eso el jardín dejó de ser considerado como un fragmento de la simbiosis entre arte y naturaleza, es decir, como un fragmento de naturaleza proyectado y remodelado por la mano humana, sino en realidad como la «naturaleza» misma. Había que ocultar lo mejor posible la labor del jardinero siempre presente en el jardín, escogiendo, reduciendo u ordenando. El jardín debía ser una copia perfecta de la naturaleza. Esta postura no cambiaría hasta el renacimiento del jardín kare-sansui al comienzo de la época Showa y la creación del, por ahora, último prototipo de la historia del jardín japonés. La abstracción y el simbolismo no volverán a ocupar su puesto hasta que comiencen estos procesos.

Formas estereotipadas del jardín con lago de la época Meiji

El jardín con lago de la época Meiji se asemeja en la disposición de conjunto al jardín con lago de mediados y finales de la época Edo; pero no se creó ninguna variante nueva de esta disposición. Shigemori Mirei distingue cuatro tipos estándar en la concepción del jardín: en el primero, la forma del conjunto se parece al carácter japonés *sino* para designar «agua»; el segundo tiene la forma de una batata (es decir, ancho en el medio y estrecho en los extremos); el

Composición de rocas en la confluencia de los dos arroyos del jardín de la villa Murin-an.

tercero se parece a una lombriz (es decir, estrecho y sinuoso); y el cuarto tipo tiene una forma cóncava.[84]

El jardín de la villa Murin-an

Yamagata Aritomo, un príncipe y hombre de Estado, se construyó en el año 1896 una villa privada en el barrio de Kioto *Kusagawa-cho*. Ogawa Jihei se hizo cargo del trabajo. Con su decisión, Yamagata Aritomo convirtió la zona, no muy lejos del templo Nanzen-ji, en uno de los barrios más solicitados de Kioto. Más tarde se construyeron aquí numerosas villas de lujo. El cercano lago Biwa, que proporcionaba agua corriente a todo el barrio a través de un sistema de canalización terminado en 1890, también tuvo que haber contribuido a fomentar la popularidad del *Kusagawa-cho* entre los ricos de Kioto y poderosos.

Pero volvamos a Yamagata Aritomo y su jardín: el plano responde al segundo tipo de Shigemori Mirei, es decir, tiene forma de batata, ancho en el medio y estrecho en los extremos. Este jardín, dispuesto en torno a un eje este-oeste, de acuerdo con su función responde al tipo de jardín de paseo con dos lagos en el centro. «Respira» el concepto corriente de la naturaleza, el espíritu del naturalismo, pero no reproduce ninguna atracción famosa como era el caso en los grandes jardines de paseo de la época Edo. Al igual que tantos jardines de la época Edo, aplica de una forma soberbia la técnica del *shakkei*: «toma prestadas» las montañas orientales que aparecen ante el espectador en un claro del bosquecillo que rodea el jardín. Justo por debajo del claro, en el extremo oriental del jardín, se encuentra una cascada de tres niveles muy naturalista; un arroyo lleva el agua por encima de algunos rápidos hasta el primer lago y sale después por el extremo del mismo para desembocar finalmente en el segundo lago.

Cerca del *shoin* desemboca un segundo arroyo, que viene del norte, en el primero. Un puente de piedra por debajo de la confluencia de los dos arroyos invita al visitante a contemplar la composición pétrea que marca la convergencia. En la zona inferior del jardín hay abundantes superficies cubiertas de césped, donde se han colocado algunas rocas, en su mayoría tumbadas. Estas rocas constituyen uno de los puntos culminantes a lo largo del sendero alrededor de la secuencia principal naturalista de arroyo–lago–lago–arroyo. El jardín recuerda en muchos sentidos al pequeño jardín con lago de la época Edo. Es uno de los jardines más hermosos de la época Meiji.

El jardín naturalista enmarcado por las puertas correderas del shoin, de la villa Murin-an, realizado en 1896, Kioto. Los montes en el este, que se han incorporado en la composición del jardín, quedan ocultos por las nieblas otoñales.

Arriba:
Un jardín naturalista con lago de la época Meiji:
El Murin-an del año 1896, Kioto.
Plano general del conjunto.

Abajo:
El jardín con lago del relicario Heian del año
1895, Kioto. Plano general del conjunto.

El jardín junto al relicario Heian

El relicario Heian fue concluido en 1895. En él se venera
el espíritu de Kammu Tenno, fundador de Kioto, que por
aquel entonces todavía se llamaba Heian-kyo. El relicario
se había construido por dos motivos: debía ser un monumento para conmemorar los 1100 años de la capital y,
además, contribuir a consolar a los habitantes de Kioto de
que Meiji Tenno hubiera trasladado la sede del gobierno
de Kioto a Tokio. El modelo para el relicario en sí fue el
gran pabellón del Estado, el *Chodo-in*, en el palacio imperial de la época Heian. Por desgracia, los arquitectos de la
época Meiji no estaban capacitados para copiar este gran
edificio. Los conocimientos históricos sobre la arquitectura
de la época Heian eran demasiado escasos. Por eso no es
de extrañar que ni la arquitectura ni el jardín del complejo
reflejen de verdad las realidades de la época Heian. La idea
de copiar el *Chodo-in* en el relicario Heian era ya proble-
mático por el hecho de que implicaba un cambio esencial
de la función del edificio, lo cual había de traer muchas
dificultades a la arquitectura: ¿cómo se convierte un pabellón oficial en un relicario sintoísta? El jardín tampoco era
un lugar religioso a la orilla de un lago sagrado con islas
sagradas, sino un jardín profano concebido como un parque por el que se podía pasear después de haber orado en
el relicario. El proyecto es obra de Ogawa Jihei, que hizo
un proyecto muy naturalista. Así surgió un jardín de paseo
naturalista cuya principal atracción era la abundancia de
flores y árboles que llenaban el jardín de color durante
todo el año. Jihei vuelve a emplear la técnica del *shakkei*
de una forma magistral. Pero, desde el punto de vista estilístico, recuerda más bien a los jardines que se construyeron junto a los palacios nobles de la época Heian y no al

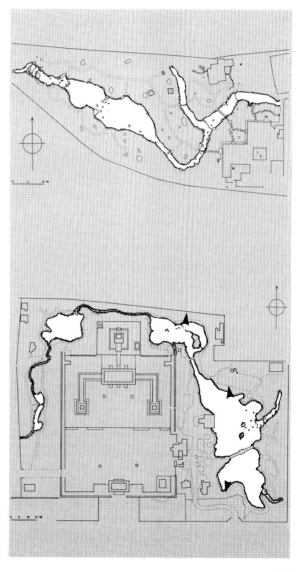

Vista del puente cubierto en el jardín del relicario Heian. Al fondo se aprecian los montes «prestados» al este de Kioto.

jardín de un relicario. Cuenta con una superficie de 20130 metros cuadrados dividida en tres partes, occidental, central y oriental. El jardín occidental es famoso por sus cerezos y sauces llorones alrededor de un pequeño lago que casi se encuentra en el extremo norte del parque. A orillas del lago destaca una cascada naturalista de dos metros de altura y una península. La atracción principal del jardín central es un lago con dos islas de piedra y las famosas *sawatari-ishi*, «piedras para pasar por el pantano» procedentes de los cimientos del puente Gojo, en Kioto. El arroyo del jardín, que une el primer y segundo lago, parte del lago en el jardín central y fluye hacia el lago del jardín oriental. Éste último tiene una isla de las grullas y una isla

de las tortugas, lo que es muy inusual en la época Meiji. La vista del jardín aparece enmarcada por un largo puente cubierto. El jardín que se extiende hacia el sur es posterior y fue proyectado por Nakane Kinsaku. Las composiciones de rocas contrastan claramente con el resto del jardín del relicario, donde apenas aparecen.

Formas estereotipadas del jardín de paisaje seco a partir de la época Meiji

Shigemori Mirei calcula que aproximadamente sólo un tercio de los jardines realizados de la época Meiji hasta la época Showa temprana, eran jardines de paisaje seco. En el «Taikei»[85] cita cuarenta y dos. Durante la época Edo tardía tampoco había surgido ninguna creación original en la tradición del kare-sansui. En rigor habría que decir que, desde la época Edo tardía hasta fines de la época Taisho, no se crearon jardines de paisaje seco, sino tan sólo jardines con lagos desecados. El jardín kare-sansui no era del gusto de la época Meiji, más inclinada a las imitaciones naturalistas del paisaje, lo que el jardín de paisaje seco no podía cumplir, ya que tiene un alto grado de abstracción y simbolismo. Hasta el comienzo de la época Showa (1926–1988) no se experimenta un renacimiento del «auténtico» jardín kare-sansui. Esto obedece en parte a que durante esta época se realizaron un gran número de jardines de templos pero, en mayor medida, gracias al trabajo y la influencia de Shigemori Mirei, el gran artista e historiador de la jardinería.

Shigemori Mirei cita 120 jardines kare-sansui construidos durante la época Showa temprana. Lo característico de estos jardines son, por ejemplo, los numerosos dibujos nuevos en la arena rastrillada y los nuevos principios com-

Vista del nuevo jardín meridional.

Las sawatari-ishi, «piedras para atravesar el pantanto», proceden de los cimientos del puente Gojo, en Kioto. Jardín del relicario Heian.

El templo Tofuku-ji, en Kioto: un kare-sansui moderno proyectado por Shigemori Mirei en el año 1940. El jardín meridional frente al hojo tiene cinco colinas cubiertas de hierba que simbolizan los cinco templos budistas más importantes de la época Kamakura.

Arriba:
Uno de los cuatro kare-sansui en torno al hojo, la vivienda del sumo sacerdote.

Abajo:
Plano del jardín.

positivos de los grupos de rocas: ahora se suelen colocar de pie. Además se prefieren las rocas de cantos afilados y no los cantos rodados de río.[86]

El jardín del templo Tofuku-ji

En el año 1880, el *hojo*, es decir, la vivienda del sumo sacerdote, y otros edificios del *Tofuku-ji* fueron víctimas de un incendio. Estos edificios se volvieron a reconstruir en 1889. Shigemori Mirei recibió en 1940 el encargo de proyectar otra vez el nuevo jardín en torno al *shoin* que se había reedificado. Su proyecto debía reflejar el espíritu originario de la época Kamakura. Con este fin, Shigemori Mirei escogió cuatro tipos de jardín de paisaje seco para cada cara del *shoin*. Entre todos los jardines que proyectó, éste es el que mejor ilustra su participación decisiva en la historia de la jardinería japonesa, justo en el momento crítico del desarrollo, cuando la repetición estereotipada de los antiguos modelos se convierte de nuevo en una renovación atrevida y creativa de la tradición, cuando se entra en una tierra virgen y el artista-jardinero se siente cada vez más como un escultor.

El jardín meridional (A) delante del *shoin* emplea todavía elementos y temas en gran parte tradicionales, pero lo hace ya de un modo bastante atrevido. El jardín se divide en dos mitades mediante una diagonal. En la mitad oriental se encuentran cuatro grupos de rocas que, vistos de lejos, nos recuerdan a las composiciones tradicionales del monte Horai, pero hasta ahora nunca habían aparecido composiciones verticales tan atrevidas. La mitad oeste del jardín meridional está dominada por cinco colinas artificiales de tierra que deben representar los cinco templos bu-

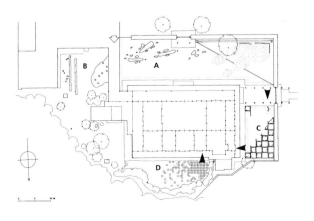

Composición de rocas recordando el motivo del
monte Horai en el jardín meridional del templo
Tofuku-ji, Kioto. En primer plano las cinco colinas
artificiales.

distas más importantes de la época Kamakura, entre los que se encontraba el *Tokufu-ji.*

Los otros tres jardines en torno al *shoin* rompen con la tradición del *kare-sansui* de una forma bastante más radical. Los principales elementos de la composición son las piedras desbastadas: los jardines se ordenan rigurosamente con motivos geométricos. El jardín oriental (B) se separa del jardín meridional mediante un corredor cubierto ligeramente elevado. Siete piedras cilíndricas –procedentes de los pilares de un puente– forman la figura de la constelación de la osa mayor. El jardín occidental (C) está separado del jardín meridional por un corredor abierto al nivel del suelo; presenta una especie de dibujo ajedrezado con cuadrados de dos metros por dos, alternando las superficies de arena blanca con arbustos recortados de satsuki. Poco antes del *hojo*, los cuadrados se integran en el motivo de la superficie de arena blanca rastrillada. El jardín septentrional es un jardín seco alargado. El principal elemento compositivo son las piedras cuadradas del suelo enterradas a distancias irregulares en las superficies de musgo y arena. Un seto recortado separa el jardín del muro del templo (D).

Los dos últimos jardines, el occidental y el septentrional, expresan claramente el entusiasmo de Shigemori por la contraposición del ángulo recto y la forma natural, una fascinación que comparte con casi todos los artistas japoneses de la jardinería. Por desgracia, estos dos jardines, concebidos por Shigemori como jardines secos, no ofrecen en la actualidad un aspecto demasiado bueno, ya que falta personal preparado para cuidarlos y mantenerlos en buen estado.

Formas estereotipadas del jardín del té de la época Meiji

Tanto el jardín de la villa *Murin-an* como el parque del relicario Heian, en Kioto, disponían ya de un jardín del té. Shigemori Mirei cita sesenta y tres jardines del té de las épocas Meiji, Taisho y Showa; pero ninguno de ellos estaba proyectado como un jardín del té autónomo, tal como los conocemos de las épocas Momoyama y Edo, sino que casi siempre se encuentran en los grandes jardines de la gente rica. En la época Meiji ya no quedaban grandes maestros del té, por eso los jardines y los cenadores del té se construyeron sólo «al estilo de» Rikyu, Oribe o Enshu. Por tanto estos jardines se deben ver siempre en conexión con otros tipos de jardín.

El Isui-en

El jardín Isui-en se encuentra en el suroeste del templo Todai-ji de Nara. Está dividido en dos partes claramente diferenciadas, tanto en el sentido temático como estilístico. La parte oriental, más pequeña, acoge un lago redondo con islas de las grullas y las tortugas delante del *sanshu-tei*, el «Pabellón de las tres bellezas». Un acaudalado curtidor de Nara mandó construir esta parte del jardín en el año 1670.

La parte más grande del jardín, situada en el este, no se construyó hasta 1890 por encargo de un rico comerciante de Nara llamado Seki Tojiro. Es quizá el ejemplo más brillante de la técnica *shakkei* en la región de Nara. Desde el *hyoshin-tei*, el «Pabellón del corazón helado», se abre una vista del jardín que «toma prestados», no sólo las cumbres más famosas de Nara, el Wakakusa, el Kasuga y el Mikasa, sino también la mitad superior de la gran puerta sur del

templo de Buda. El lago delante del *hyoshin-tei* tiene la forma del carácter japonés *sino* para designar el «agua». En él se encuentra una pequeña isla a la que se accede por una serie de piedras de molino que actuan aquí como las piedras para marcar el camino. El proyecto del conjunto responde al concepto de un jardín de paseo. En el este del jardín se elevan algunas colinas artificiales de tierra y una cascada naturalista de tres niveles con un puente encima. Apenas se pueden encontrar composiciones de rocas. En su lugar existen numerosas matas de azaleas recortadas –típicas de los jardines de la época Meiji– que asimilan la función de los grupos de piedras. El jardín se va transformando, casi imperceptiblemente, en la naturaleza real «prestada».

Entre las partes grande y pequeña se levantan dos pequeños cenadores del té separados por un sendero cubierto con hermosas piedras y una elegante puerta. Delante del *teisho-ken*, un cenador del té con una superficie de cuatro tatamis y medio, hay un puente de piedra por encima del arroyo del jardín que une las dos partes del mismo. La moderación de este pequeño jardín del té de carácter rústico contrasta con el grandioso jardín shakkei en el este.

El jardín superior con lago visto desde el shoin.
Las piedras de molino sirven para atravesar el
lago. Este jardín es también un ejemplo destaca-
do del shakkei. Se han incorporado en la com-
posición del jardín la puerta sur del gran templo
de Buda y las montañas del fondo.

*Composición de formas ortogonales y formas
naturales en el jardín seco al norte del shoin del
templo Tofuku-ji, en Kioto.*

*Un tsubo-niwa, pequeño jardín interior,
en la villa Murin-an de Kioto.
Fotografía: Minao Tabato*

Arriba:
Roca toscamente desbastada en una composición.

Abajo:
Plano de la plaza delante de los edificios guber-namentales de la prefectura de Kagawa en Takamatsu. El proyecto del jardín data del año 1958 y fue realizado por la oficina de arquitectura de Kenzo Tange.

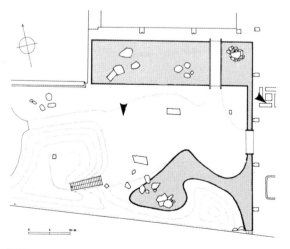

El prototipo contemporáneo: jardines como fruto de la imaginación

Tras la II Guerra Mundial surgió otro nuevo prototipo de jardín que no hubiera podido diferenciarse más de sus predecesores. Se creó por encargo de una nueva clase de clientes, su entorno arquitectónico era completamente distinto y sus temas y elementos compositivos experimentaron cambios decisivos. El jardín ha pasado a formar parte de la arquitectura de edificios administrativos, pabellones de cultura, museos, edificios de oficinas y plazas públicas.

La mayoría de estos jardines tienen en común sus elementos creativos centrales: rocas naturales desbastadas toscamente dentro de una composición general caracterizada por los motivos geométricos. El nuevo prototipo ya no pretende imitar la naturaleza, sino que expresa la voluntad del artista de manifestar su individualidad en su obra. Los nuevos artistas que, en primera línea, se consideran individuos, son escultores, arquitectos y paisajistas con estudios universitarios. Su formación está influenciada por el intercambio internacional y ya no se limita a las tradiciones japonesas. Sus composiciones suelen ser abstractas y a menudo casi no parecen jardines, sino esculturas que se pueden recorrer. Puesto que estas composiciones han perdido toda relación visible con la naturaleza real, hablamos más bien de jardines como «vida interior convertida en paisaje».

No obstante, estos jardines siguen dentro de la tradición japonesa. También aquí se aprecia la afición por la dualidad entre el ángulo recto y la forma única imposible de imitar: en lugar de la forma *natural* nos encontramos aho-ra con la forma inimitable creada por el *espíritu humano*, por su fantasía, en oposición con la forma geométrica de-

El ángulo recto en contraposición con la forma
de la piedra desbastada creada por el hombre.

terminada por la razón, llegando incluso a fundirse con ella en una unión mística.

Un ejemplo temprano de este nuevo tipo es el jardín con lago de Kenzo Tange en la cara sur del palacio de gobierno de la prefectura Kagawa en Takamatsu, obra de 1958. El jardín cumple una función doble, plaza pública y escenario para actuaciones al aire libre, y fue como la señal de salida para un nuevo diálogo entre el hombre y el jardín, entre el autor y la creación en el contexto del que se considera arte moderno internacional. Aunque los artistas japoneses trabajaron desde la época Momoyama con piedra tallada –las linternas de los jardines y las piedras que marcaban el camino son un buen ejemplo de ello–, la introducción de la roca desbastada de una forma tosca tiene un signifcado radicalmente nuevo: hasta entonces la piedra nunca se había considerado una escultura independiente, y se emplearon piedras labradas en la composición de grupos decorativos. Buen ejemplo de ello son las piedras del estanque rectangular, de 37 metros por 9, del jardín de Kenzo Tange en Takamatsu. El dramatismo de la contraposición moderna entre el ángulo recto y la forma irreproducible creada por el artista, se refuerza todavía más con el reflejo de la escena en las grandes cristaleras del vestíbulo del palacio de gobierno. Además de esto, Kenzo Tange sentó un contrapunto al lago rectangular con otro lago redondeado en el extremo meridional de la plaza.

En 1961, el escultor Nagare Masayuki fue todavía más lejos: en uno de los jardines junto al Palace Hotel, en Tokio, construyó una escultura-cascada cortada en ángulo recto con un estanque rectangular. En este caso, el artista impone su voluntad a la piedra casi por completo. Tan sólo la áspera superficie de la misma pone el punto de contraste a la forma ortogonal creada por el hombre.

Inspirándose en los dibujos de los kimonos tradicionales, Shigemori Mirei creó en 1975 un jardín cuyo motivo básico es una compleja espiral. El elemento de la espiral domina tanto el jardín seco como el jardín con lago. La arena del jardín seco se ha rastrillado formando espirales, mientras que en la zona del lago utiliza las formas naturales de las piedras y la grava, que contrastan con las formas ortogonales del edificio.

A partir de aquí no debería sorprendernos que las materias primas elaboradas y los materiales sintéticos, como los metales y el plástico, se introdujeran muy pronto en el arte de la jardinería. Después de todo, cada vez se empleaban

La geometría como elemento estructural del jardín moderno: en el Yuzen, la oficina principal de una empresa de fabricación de kimonos, Shigemori Mirei combinó en 1975 los motivos en espiral a base de piedras talladas con las formas de la roca natural y los cantos rodados.

Cascada de piedras desbastadas; detrás de la misma se oculta una gruta con bar, en el jardín del Hotel Sheraton Grande.

El arroyo sinuoso, uno de los elementos más antiguos de la jardinería japonesa, introducido en un nuevo entorno: el arroyo junto al centro cultural de Fujisawa; en la orilla se «han plantado» árboles metálicos. El proyecto es obra de Itsuko Hasegawa (1989).

más en los otros artes. Si bien en la jardinería existe el problema adicional de que estos materiales no aparecen espontáneamente en la naturaleza. Pero se consideran una parte de la misma cuando el hombre los descubre actuando, en cierto sentido, como una comadrona. El problema residía en la forma que estos materiales, de por sí amorfos y moldeables, debían tomar en el jardín.

En una entrevista del año 1989 con relación al centro cultural Shonandai de Fujisawa, la arquitecto Itsuko Hasegawa hablaba, por ejemplo, de la creación de «otra naturaleza». El mejor modo de ilustrar lo que pensaba es presentando su obra. El elemento compositivo central del proyecto es, sorprendentemente, un arroyo sinuoso, uno de los elementos más antiguos de la jardinería japonesa. Pero la artista «ha plantado» en la orilla objetos metálicos con la forma de árboles estilizados. Por tanto, el principio estético del jardín sigue siendo la contraposición del ángulo recto y la forma «natural», aunque nos preguntamos por qué esa «otra naturaleza» –los árboles metálicos– reflejan con tanta fidelidad la «primera naturaleza», por qué la artista no ha dado el paso de «la vida interior convertida en paisaje». A pesar de todo, en este ejemplo se puede apreciar que en Japón ha comenzado la búsqueda de nuevas formas para configurar un jardín «sintético». Quizá sirva de algo recordar que la arquitectura del cemento, un material artificial, al principio también intentó copiar las formas de los materiales naturales como la madera y la piedra, y que hizo falta un tiempo hasta que los artistas se aventuraron a crear formas más libres. Puede que los materiales sintéticos experimenten el mismo desarrollo en la jardinería. Un ejemplo podría ser la bien proporcionada cascada delante del vestíbulo del Hotel ANA en Kioto. Tiene un aspecto muy natural, pero, cuando se golpea con

los nudillos, suena a hueco porque está hecha de plástico fundido. El «Cool Garden» de Murai Hiroshi, un patio interior completamente recubierto de mármol en el edificio administrativo de la Longchamp Textile Company en Kioto, aunque no presenta ninguna escultura naturalista de plástico, cuenta con árboles secos que el artista ha pintado con pintura plateada.

Jardín en el patio interior del edificio administrativo de la Longchamp Textile Company en Kioto. Los árboles no son de un material sintético; se trata de árboles «auténticos» secos que el artista ha rociado con pintura plateada. El proyecto es obra de Murai Hiroshi.

La relación del mundo actual con la naturaleza y el arte de la jardinería

Evidentemente, no es por casualidad que la piedra desbastada se haya convertido en el elemento compositivo central del jardín japonés, justo en un momento histórico en el que el medio ambiente de Japón amenaza con ser destruido por la industria, el urbanismo y el consumismo desmedido del hombre de la sociedad de masas.

¿Por qué de repente se modifica la forma natural de la piedra antes de ser utilizada en el jardín? Quiero citar brevemente las respuestas de un arquitecto japonés y un escultor americano-japonés. El citado arquitecto, Kenzo Tange, escribió a comienzos de los años 60 un artículo titulado «El secreto de la piedra», donde dice lo siguiente: «Nos gusta la piedra trabajada porque refleja la voluntad del artista. Ni las piedras naturales ni la forma como fueron colocadas en los jardines tradicionales, reflejan el mínimo rastro de la personalidad humana. Simplemente estaban allí, inmóviles, sin dejar intuir nada del afán humano por crear algo hermoso». El famoso escultor Noguchi Isamu declaró poco antes de su muerte, en una entrevista de 1989: «Un jardín surge siempre en colaboración con la naturaleza. Las huellas de la mano modeladora del hombre van desapareciendo con el tiempo. La naturaleza hace que desaparezcan, hace crecer el musgo o cualquier otra cosa por encima. Y de repente te encuentras con que has desaparecido. Yo quiero mostrarme. Por eso soy moderno. Yo no soy ningún *ueki-ya*, ningún plantador de árboles».[87]

En ambas declaraciones podemos descubrir un dualismo entre hombre y naturaleza hasta ahora desconocido en Japón, el deseo de imponer a la naturaleza la voluntad supuestamente autónoma del hombre. Esta es la flor que el individualismo occidental ha hecho brotar en Japón, un proceso espiritual basado en la profunda creencia judeo-cristiana de que el mundo, según el orden de existencia, se desmembra ontológicamente en hombre y naturaleza, y el hombre, a su vez, en cuerpo y alma. Por ello no resulta sorprendente que la Feria Internacional de Jardinería de Osaka, celebrada en 1990, llevara el título «Coexistencia del hombre y la naturaleza». Como si fueran dos cosas distintas obligadas a «coexistir».

Hoy en día conocemos las consecuencias de este pensamiento dualista: conduce a la explotación incontrolada, la destrucción y la contaminación de nuestro planeta, conduce a la «Muerte de la naturaleza», por citar el título de un libro de Bill McKibben publicado hace poco. Con la claridad premonitoria propia de todo gran arte, el último prototipo del jardín japonés ha captado la relación del hombre moderno con la naturaleza –y, con ella, sus consecuencias inevitables.

Ahora que tenemos presentes las catastróficas consecuencias ecológicas de nuestra conducta, nos gustaría saber qué aspecto tendrá el próximo prototipo. Yo creo que será parecido a una jungla, una jungla artificial que nos recordará nuestra unidad con la naturaleza. Tenemos que experimentar amargamente que no se puede explotar y destruir la naturaleza sin hacer lo mismo con el hombre. El místico oriental Osho dice: «No puedes oponerte a la naturaleza. ¿Quién querría hacerlo? Tú mismo eres naturaleza».[88]

El reconocimiento puramente científico de la unidad de todo tipo de vida en el mundo no impedirá al hombre destruir la naturaleza y destruirse a sí mismo. El reconocimiento científico abstracto tiene que convertirse en una «experiencia» más profunda. Pero esto sólo se puede alcanzar por un camino: la meditación.

Notas

1 Nitschke, G: Shime, 1974 y 1988
2 Shigemori, M., 1967
3 Tsukushi, N., 1964
4 Kloetzli, R., 1983, p. 3
5 ibid., pp. 24–43
6 cfr. Eliade, M., 1961, p. 129
7 resumido según Ledderose, L., 1983, pp. 168 y s.
8 Aston, W.G., 1956, p. 368
9 Kloetzli, R., 1983, p. 99
10 Ledderose, L., 1983, p. 165
11 Slawson, D., 1987, p. 97
12 Ambasz, E., 1969, p. 69
13 Aston, W.G., 1956, p. 190
14 ibid., p. 306
15 ibid., p. 315
16 ibid., p. 389
17 ibid., p. 145
18 ibid., p. 154
19 Varley, P.H., 1973, p. 21
20 Sierksma, F., p. 90
21 cfr. Porkert, 1974, p. 2
22 Kuck, L., 1968, p. 91
23 Itoh, T., 1984, pp. 25–27
24 Shigemori, M., 1973, vol. 2, p. 85
25 cfr. Morris, I., 1964, p. 113
26 cita según Seidensticker, 1976
27 Kuitert, W., 1988, pp. 48 y s.
28 Ienaga, S., 1973, p. 52
29 Morris, I. 1964, p. 196
30 Tamura, T., p. 177
31 Tanaka, M., 1966, pp. 14–30
32 Williams, C., 1974, p. 185
33 Kuitert, W., 1988, p. 91
34 Shigemori, M. y K.: Taikei, vol. 5, p. 55
35 Kuck, L., 1968, p. 153
36 Saito, T., 1988, pp. 10–15
37 Shigemori, M., 1965, pp. 9–19
38 ibid., pp. 19–57
39 Hennig, K., 1982, pp. 204–223
40 Rajneesh, Bhagwan Shree, 1978, p. 75
41 Hennig, K., 1982, p. 284
42 Tanaka, I., 1972 , p. 60
43 ibid., p. 129
44 Nishiyama, K. y Stevens, J., 1975, p. 91
45 Hennig, K., 1982, p. 147
46 Itoh T., 1977, p. 239
47 Shigemori, M., 1965, pp. 58–96
48 Hisamatsu, S., 1971, p. 53
49 Kuitert, W., 1988, pp. 150 y 159
50 Slawson, D., 1987, p. 72
51 Ueda, M., 1967, p. 65
52 ibid.
53 Bense, M., 1967, p. 35
54 ambas citas según Komparu, K., 1983, pp. 73 y s.
55 Slawson, D., 1987, nota 1 y 2
56 ibid., apéndice 2
57 Hall, J.W., 1981, pp. 7–71
58 Reischauer, E.O. y Fairbank, J.K., 1958, p. 616
59 cita según Ueda, M., 1967, p. 94
60 Shigemori, M. y K.: Takei, vol. 8, 1971, pp. 3–12
61 ibid., pp. 19 y s.
62 ibid., pp. 70 y ss.
63 ibid., vol. 9, 1972, pp. 42 y s.
64 ibid., vol. 10, 1975, pp. 12–16
65 ibid., vol. 9, 1972, pp. 16 y ss.
66 ibid., pp. 53 y ss.
67 ibid., vol. 8, 1971, p. 15
68 Ludwig, T.M., 1981, p. 374
69 cfr. Hennemann, H.S.: Cha-no-yu, 1980, pp. 30–39
70 cita según Furuta, Sh., 1964, p. 94
71 cita según Ueda, M., 1967, p. 88
72 Itoh T., 1969, p. 50
73 ibid., p. 44
74 cfr. Tanaka, S., 1967, pp. 94–188
75 Varley, P., 1973, p. 202
76 cfr. Shigemori, M. y K.: Taikei, vol. 16, 1974, pp. 92 y ss.
77 ibid., vol. 14, 1973, pp. 84–92
78 cfr. Speidel, M., 1975
79 ibid.
80 Jinnai, H., 1987, pp. 42–47
81 Nitschke, G. y Thiel, Ph., 1968
82 Varley, P., 1973, pp. 244 y s.
83 Shigemori, M. y K.: Taikei, vol. 27, 1971, pp. 12 y s.
84 ibid., vol. 28, 1972, pp. 6 y ss.
85 ibid., pp. 16 y ss.
86 ibid., vol. 30, 1974, pp. 117–123
87 Alhalel, 1989
88 Osho, 1990

Bibliografía

Libros y disertaciones en idiomas europeos

Alhalel, R., *Conversations with Isamu Noguchi*, Kioto: Kioto Journal, N° 10, 1989

Ambasz, E., *The Formulation of a Design Discourse*, New Haven: Perspecta 12, The Yale Architectural Journal, 1969

Aston, W.G., *Nihongi-Chronicles of Japan from the Earliest Times to A.D. 679*, Londres: G. Allen & Unwin Ltd., 1956

Bennet, Steven J., *Patterns of the Sky and Earth – A Chinese Science of Applied Cosmology,* en: *Chinese Science*, 1978, 3: 1–26

Bense, M., *Semiotik – Allgemeine Theorie der Zeichen*, Baden-Baden: Agis Verlag, 1967

Bohner, H., *Zeitenreihe der alten japanischen Gärten*, Hamburgo: OAG Nachrichten, diciembre 1966

Eliade, M., *The Sacred and the Profane*, Nueva York: Harper & Row, 1961

Fukuyama, T., *Heian Temples: Byodo-in and Chuson-ji*, Nueva York, Tokio: Weatherhill/Heibonsha, 1976

Furuta, Sh., *The Philosophy of the Chashitsu*, Tokio: Japan Architect, junio 1964 – septiembre 1964

Hall, J.W., *Japan's Sixteenth-Century Revolution*, en: Elison, C. y Smith, B.L., *Warlords, Artists and Commoners*, Honolulu: University of Hawaii Press, 1981

Harada, Jiro, *Japanese Gardens*, Boston: Charles T. Branford Co., 1956

Hashimoto, F., *Architecture in Shoin Style – Japanese Feudal Residences*, Tokio: Kodansha International and Shibundo, 1981

Hayakawa, M., *The Garden Art of Japan*, Nueva York, Tokio: Weatherhill, 1973

Hennemann, H.S., *Cha-no-yu: die Teekultur Japans*, en: Nachrichten der Gesellschaft für Natur und Völkerkunde Ostasiens, vols. 127–128, Hamburgo, 1980

Hennig, K., *Der Karesansui-Garten als Ausdruck der Kultur der Muromachi-Zeit*, Hamburgo: MOAG, vol. 92, 1982

Hisamatsu, Sh., *Zen and the Fine Arts*, Tokio, 1971

Horiguchi, S. y Kojiro, Y., *Tradition of Japanese Gardens*, Tokio: Kokusai Bunka Shinkokai, 1962

Ienaga, S., *Painting in the Yamato Style*, Tokio y Nueva York: Weatherhill/Heibonsha, 1973

Inoue, M., *Space in Japanese Architecture*, Nueva York, Tokio: Weatherhill, 1985

Itoh, T., *Gardens of Japan*, Tokio: Kodansha International, 1984

Itoh, T., *Space and Illusion in the Japanese Garden*, Nueva York, Tokio: Weatherhill/Tankosha, 1973

Itoh, T., *The Development of Shoin-Style Architecture*, en: Hall, J.W. y Toyoda, T., *Japan in the Muromachi Age*, Berkeley: Univ. of California Press, 1977

Itoh, T. y Futagawa, Y., *The Elegant Japanese House – Traditional Sukiya Architecture*, Nueva York, Tokio: Weatherhill/Tankosha, 1969

Jinnai, H., *Ethnic Tokyo*, Tokio: Process Architecture, N° 72, enero 1987

Kloetzli, R., *Buddhist Cosmology*, Dehli: Motial Banarsidas, 1983

Komparu, K., *The Noh Theater – Principles and Perspectives*, Nueva York, Tokio, Kioto: Weatherhill/Tankosha, 1983

Kuck, L., *The World of the Japanese Garden*, Nueva York, Tokio: Walker/Weatherhill, 1968

Kuitert, W., *Themes, Scenes, and Tastes in the History of Japanese Garden Art*, Amsterdam: J.C. Gieben, 1988

Ledderose, L., *The Earthly Paradise: Religious Elements in Chinese Landscape Art*, en: Murck, C., *Theories of the Arts in China*, Princeton, 1983

Ludwig, Th.M., *Before Rikyu – Religious and Aesthetic Influences in the Early History of the Tea Ceremony*, Tokio: Monumenta Nipponica, vol. XXXVI, N° 4, invierno 1981

Morris, I., *The Pillow Book of Sei Shonagan*, Londres: Penguin Books, 1967

Morris, I., *The World of the Shining Prince*, Tokio: Charles E. Tuttle, 1964

Nishi, K. y Hozumi, K., *What is Japanese Architcture?*, Tokio, Nueva York: Kodansha International, 1983

Nishiyama, K. y Stevens J., traducción de Dogen Zenji, *Shobogenzo, The Eye and Treasury of the True Law*, vol. I, Sendai: Daihokkaikaku Publ. Co., 1975

Nitschke, G., *SHIME: Binding I Unbinding*, Londres: Architectural Design, N° 12, 1974

Nitschke, G., *SHIME: Bauen, Binden und Besetzen*, Berlín: Daidalos 29, septiembre 1988

Nitschke, G. y Thiel, Ph., *Anatomie der gelebten Umwelt*, Zürich: Bauen und Wohnen, N° 9/10/12, 1968

Osho, *From the False to the Truth*, Discourse 8, July 5, 1985, India: Osho Times, 04/16/1990

Porkert, M., *The Theoretical Foundations of Chinese Medicine*, Cambridge: MIT Press, 1974

Rajneesh, Bh. Sh., *The Heart Surtra*, Poona, Rajneesh Foundation, 1978

Reischauer, E.O. y Fairbank, J.K., *East Asia – The Great Tradition*, Boston: Houghton Mifflin, 1958 y 1960

Seidensticker, E.G., traducción de Murasaki Shikibu, *The Tale of Genji*, 2 vols., Rutland, Vermont y Tokio: Charles E. Tuttle, 1976

Shimoyama, Sh., *The Book of Gardens*, Tokio: Town & City Planners, 1976

Sierksma, F., *Tibet's Terrifying Deities*, Rutland, Vermont y Tokio: Charles E. Tuttle, 1966

Slawson, David A., *Secret Teachings in the Art of Japanese Gardens*, Tokio: Kodansha International, 1987

Speidel, M., *Japanese Places of Pilgrimage*, Tokio: A + U, N° 1 a 12, 1975

Tanaka, I., *Japanese Ink Painting: Shubun to Sesshu*, Nueva York, Tokio: Weatherhill/Heibonsha, 1972

Tange, K., *The Secret of the Rock*, en: «This is Japan», Tokio, hacia 1962

Ueda, M., *Literary and Art Theories in Japan*, Cleveland, Ohio: The Press of Western Reserve, 1967, de aquí el capítulo 4: «Imitation, *Yugen*, and Sublimity – Zeami on the Art of the No Drama» y capítulo 6: «Life as Art – Rikyu on the Art of the Tea Ceremony»

Varley, Paul H., *Japanese Culture*, Tokio: Charles E. Tuttle, 1973

Varley, Paul, H. & Elison, G., *The Culture of Tea: From Its Origins to Sen no Rikyu*, en: Elison, G. y Smith, B.L., *Warlords, Artists and Commoners – Japan in the 16th century*, Honolulu: Univ. of Hawaii Press, 1981

Williams, C.A.S., *Outlines of Chinese Symbolism and Art Motifs*, Rutland, Vermont & Tokio: Charles E. Tuttle, 1974

Libros y disertaciones en japonés

Akisato, R., *Miyako meisho zue* (Illustrated Manual of Celebrated Places in the Capital), 1780, abreviado MMZ

Akisato, R., *Miyako rinsen meisho zue* (Illustrated Manual of Celebrated Gardens in the Capital), 1799, abreviado MRMZ

Akisato, R., *Ishigumi sonou yaegaki den* (Transmission of Rock Compositions, Live Gardens and Eight Types of Fences), 2 vols., 1827, abreviado ISYD

Glosario

Akisato, R., *Tsukiyama teizoden*, Part 2 (Transmission of Constructing Mountains and Making Gardens), 1828, abreviado TTZD-2

Horiguchi, S., *Rikyu no cha-shitsu* (Rikyu's Tea Houses), Tokio: Iwanami Shoten, 1949

Kitamura, E., *Tsukiyama teizoden*, Part 1 (Transmission of Constructing Mountains and Making Gardens), 1735, abreviado TTZD-1

Mori, O., *Heian jidai teien no kenkyu* (A Study of Heian Era Gardens), Kioto: Kuwana Bunseido, 1945

Mori, O., *Kobori Enshu no sakuji* (The Work of Kobori Enshu), Monograph No. 18 of the Nara National Institute of Cultural Properties Nara: Yoshikawa Kobunkan, 1966

Mori, O., *Sakuteiki no sekai* (The World of Sakuteiki), Tokio: Nihon Hoso Shuppan, 1986

Niwa, T., *Katsura-rikyu no tibi-ishi* (The Stepping Stones in Katsura Detached Palace), Tokio, Shokoku-sha, 1955

Saito, K., *Zukai Sakuteiki* (The Classic of Garden-Making Illustrated), Tokio: Gihodo, 1966

Saito, T., *Meien wo aruku: Muromachi Jidai* (The Japanese Gardens: Muromachi Period, vol. 2), Tokio: Mainichi Shimbunsha, 1988

Shigemori, M., *Nihon teien-shi zukan* (Illustrated History of the Japanese Garden), 24 vols., Tokio: Yukosha, 1936–1939, abreviado «Zukan»

Shigemori, M., *Karesansui*, Kioto: Kawara Shoten, 1965

Shigemori, M., *Teien no bi to kansho-ho* (The Beauty of Gardens and Ways to Appreciate it), Tokio: Hobunkan, 1967

Shigemori, M. y Shigemori, K., *Nihon Teien-shi Taikei* (The Great Compendium of Japanese Garden History), 35 vols., Tokio: Shakai Shisosha, 1971–1976, abreviado «Taikei»

Tabata, M., *Kenroku-en – Seisonkaku*, en: Nihon no teien bi (The Beauty of the Japanese Garden), vol. 8, Tokio: Shuei-sha, 1989

Tamura, T., *Sakuteiki* (The Classic of Garden Marking), Tokio: Sobo Shobo, 1964

Tanaka, S., *Teien-ron toshite no sakuteiki* (The Sakuteiki as a Treatise on Gardening), en: Geino-shi kenkyu, N° 15, Kioto, 1966

Tanaka, S., *Nihon no teien* (The Japanese Garden), Tokio: Kashima Shuppankei, 1967

Tsukushi, N., *Amaterasu no tanjo* (The Birth of the Sun Deity), Tokio: Kadogawa Shinsho, 1964

Yoshikawa, I., *Chozubachi: Teien-bi no zokei* (Stone Basins: The Making of Garden Beauty), Tokio: Graphic-sha Publishing Co., 1989

arquitectura Sukiya	la nueva arquitectura de la casa del té en la época Momoyama
budismo Amida	Idea de Amida, un buda transhistórico de la luz y la vida regente de un país de la pureza (Jodo en japonés) en el oeste, modelo de un paraíso en la tierra
cha-no-yu	ceremonia del té
chisen kaiyu teien	«jardín de paseo con lago y fuente», jardín de la época Muromachi
chisen shuyu teien	«jardín para pasear en barca con lago y fuente», jardín de la época Heian
daimio	príncipe territorial de la época Edo, se le considera tanto un guerrero como un sabio
dairi	edificios de vivienda en el palacio imperial
geomancia	ciencia china (en japonés chiso, «Fisionomía del país», o bien kaso, «Fisionomía de la casa») aplicada para encontrar la forma energética y la situación más apropiadas de una casa, una ciudad o una tumba
ginshanada	«arena plateada y mar abierto», superficie blanca de arena rastrillada con preciosismo formando ondas
go-gyo	término procedente de la ciencia china que designa las cinco fases evolutivas tierra, madera, fuego, metal y agua
go-shintai	«Morada de la divinidad», puede ser una roca extraña, un árbol, un monte o también una cascada
gosho	«el lugar sublime», esta designación sigue siendo el nombre actual del palacio imperial en Kioto
hako-zukuri	técnica de recortar los árboles con forma de caja
hojo	vivienda del sumo sacerdote, rodeada por jardines en sus cuatro lados
hondo	pabellón principal en la zona del templo
Horai	monte, isla o roca Horai, símbolo de la «Isla de los bienaventurados», motivo de la mitología taoísta según el cual existen cinco islas situadas muy lejos, al este de la costa china, donde los hombres han alcanzado la inmortalidad y la armonía
ishi-doro	linternas de piedra
ishitateso	monjes de la secta esotérica Shingon que trabajan como constructores semiprofesionales de jardines
iwakura, iwasaku	«lugar donde asienta la roca» o «el límite de la roca», piedras consideradas sagradas
kaisho	edificios utilizados por los samurai para celebrar fiestas
kare-sansui	pequeño jardín seco con «montaña y agua», prototipo de las épocas Kamakura y Muromachi como jardín de paisaje seco
kawaramono	«Gentes de la orilla del río», originariamente clase social de los parias que, durante la época Muromachi, fueron adquiriendo el estatus de arquitectos profesionales de jardines
Kojiki	una de las crónicas más antiguas del Japón del año 712
kyokusui no en	«Fiesta del arroyo sinuoso», una fiesta muy popular entre los cortesanos
mandala	diagrama sagrado que encarnaba originariamente los principios hindúes del cosmos

Manyoshu	«Colección de las hojas infinitas», la antología poética más antigua de Japón
Miyako meisho zue	manual ilustrado de los principales monumentos de Kioto, del año 1780
niwa-shi	artista profesional de la jardinería
o-karikomi	el arte de recortar los arbustos y los árboles en grandes formas
reihaiseki	una piedra empleada en el culto religioso
roji	«senda», «paso», designa el jardín del té que se tiene que recorrer para llegar al cenador del té
Sakutei-ki	el manual de jardinería más antiguo que se ha conservado y que data del siglo XI
samurai	«servidor», perteneciente a la clase de los guerreros
san-sui	«monte y agua», término japonés *sino* para designar el paisaje, uno de los conceptos metafísicos fundamentales de la jardinería y la pintura
shakkei	«paisaje prestado», técnica que consiste en incluir el paisaje del fondo en la composición del jardín
shiki-e	pinturas en el interior de los palacios que representan las bellezas de las cuatro estaciones del año
shiki no himorogi	zonas sagradas cubiertas con grava en las que se celebraban las abluciones rituales
shime	«artefacto atado», señala la toma de posesión; el acto de atar hierba o los árboles es un símbolo que indica el derecho de propiedad o de poder
shime-nawa	cintas de los santuarios sintoístas que marcan los límites del recinto sagrado o señalan un objeto como sagrado
shinchi	«Lagos de los dioses»
shinden	campos de arroz sagrados, vivienda principal
shinden-zukuri	arquitectura palaciega y jardines de la época Heian
shinto	«Islas de los dioses» o también «Camino de los dioses». De aqui se deriva el sintoísmo
sintoísmo	religión primitiva de Japón, la naturaleza sintoísta determinó el lenguaje formal de Japón que refleja los rasgos de las formas de vida y modos de comportamiento de los japoneses. El apego a la propiedad territorial, el culto a la naturaleza, el sentido de la pureza y la cultura del arroz
shishin-den	«el pabellón púrpura del emperador», los edificios en el centro de la vivienda imperial desde la época Heian
shogun	«generalísimo», general imperial perteneciente a la clase de los samurai, el soberano auténtico durante las épocas Kamakura y Muromachi
shoin	la estancia más cultivada en las viviendas de los samurai y sacerdotes zen
shoin-zukuri	estilo arquitectónico de las épocas Kamakura y Muromachi
Shumi-sen	la montaña del mundo budista, imagen del cósmico Shumi-sen (monte Shumi) en el centro del mundo, tomada de la cosmología hindú
so-an	«cabaña cubierta con paja», sencillo cenador del té de tipo rústico
tatami	estera de 90 x 180 cm
tobi-ishi	piedras que marcan el camino colocadas formando dibujos
tsubo-niwa	jardines de los patios interiores
tsukubai	«lugar donde hay que arrodillarse», grupo d[e] [pie]dras con una pila de agua donde el visitante [del] jardín del té debe purificarse siguiendo un rit[o]
wabi-cha	«íntimo y sencillo ritual del té», la forma regl[amen]tada de tomar el té en Japón desde finales d[el siglo] XVI
zen	originariamente dhyan en sánscrito, «medita[ción]», práctica de la meditación basada en la creen[cia en] el ji-riki, el «control sobre el propio yo» com[o] camino para alcanzar la iluminación

El futuro

El título originario de esta monografía era «La arquitectura de los jardines japoneses», así pretendía, a priori, poner de relieve que el jardín es ante todo arquitectura; es decir, que se incluye entre las formas construidas por el hombre.

Un resumen general de la historia humana muestra una lenta, pero constante infiltración de la arquitectura en la naturaleza y, finalmente, una penetración perfecta. Si esto nos permite descubrir una tendencia arquitectónica digna de mención en nuestros días, no cabe duda de que se trata del hecho de que la naturaleza ha invadido y traspasado la arquitectura humana –casi como en un acto de venganza– tanto en el concepto, como en la imagen y el diseño. Cuando en Japón se construye un restaurante en el último piso de un edificio de oficinas, entonces se habla de un «jardín en el aire»; los «jardines electrónicos y de microchips» se han convertido en metáforas de los últimos proyectos urbanos; y los «jardines verticales» son tema obligado de la nueva arquitectura urbana. Parece como si la revolución urbana se hubiera desprendido de una revolución del paisaje.

Esta nueva sensibilidad para comprender que arquitectura y naturaleza forman un todo inseparable, para captar su dependencia y compenetración mutua, a mi modo de ver –y al hombre le ha costado mucho esfuerzo llegar a esta conclusión– es el estímulo más fuerte de hoy capaz de dar vida, tanto a una nueva arquitectura como a un sexto prototipo del jardín en Japón. No cabe duda de que la máxima de un prototipo semejante es, en Japón como en el resto del mundo, «la sensibilidad para comprender la unidad» o «la añoranza el todo». En la actualidad los edificios se han convertido en paisajes. En este sentido, el Honpukuji (1992) de Tadao Ando, el Templo del loto y el agua en la isla Awaji, marca el principio de un proyecto que integra la arquitectura y el jardín en nuestro tiempo. La arquitectura y el jardín se han vuelto inseparables. Se trata de un espacio moderno todavía sin explorar y, al mismo tiempo, un milenario jardín de loto inspirado en la India.

La cara negativa de esta fusión entre arquitectura y naturaleza es, sin embargo, que ha llevado la edad del jardín al territorio del arquitecto moderno. Por desgracia, la arquitectura moderna no sólo está determinada por las necesidades de la sociedad, sino también por la profesión del arquitecto, una profesión altamente competitiva y consciente de su importancia, con una ambición por sobrevivir y ser una manifestación individual. Para el arquitecto, la forma responde más a la moda y el gusto del momento que a las auténticas necesidades del hombre.

Así pues, la cuestión sería: ¿por qué razón se hicieron los jardines?, ¿sigue teniendo validez esta razón?. No hay ningún animal que construya un jardín, tan sólo madrigueras y nidos. De ahí que el jardín se sitúe claramente en la intersección entre naturaleza y cultura, materia y consciencia. El jardín no es ni lo uno ni lo otro, sino que envuelve a ambos bajo la forma del arte. Sin duda alguna, la construcción o la contemplación de un jardín colma nuestro anhelo profundo de consumar una segunda fusión con la naturaleza, ahora completamente consciente. Por eso el jardín ha servido siempre de puente fundamental entre el hombre y la naturaleza, pero también entre nosotros y nuestro origen y talento.

Tadao Ando, Honpukuji
Templo del loto en la isla Awaji